COLLECTION « BEST-SELLERS »

LA FIRME, 1992
L'AFFAIRE PÉLICAN, 1994
NON COUPABLE, 1994
LE COULOIR DE LA MORT, 1995
LE DROIT DE TUER 1996
L'IDÉALISTE, 1997
LE CLIENT, 1997
LE MAÎTRE DU JEU, 1998
L'ASSOCIÉ,1999
LA LOI DU PLUS FAIBLE, 1999
LE TESTAMENT, 2000
L'ENGRENAGE, 2001
LA DERNIÈRE RÉCOLTE, 2002
PAS DE NOËL CETTE ANNÉE, 2002
L'HÉRITAGE, 2003
LA TRANSACTION, 2004
LE DERNIER JURÉ, 2005
LE CLANDESTIN, 2006
LE DERNIER MATCH, 2006
L'ACCUSÉ, 2007
LE CONTRAT, 2008
LA REVANCHE, 2008
L'INFILTRÉ, 2009
CHRONIQUE DE FORD COUNTY, 2010
LA CONFESSION, 2011
LES PARTENAIRES, 2012
LE MANIPULATEUR, 2013

JOHN GRISHAM

CALICO JOE

roman

traduit de l'anglais (États-Unis)
par Abel Gerschenfeld

ROBERT LAFFONT

Titre original : CALICO JOE
© Belfry Holdings, Inc., 2012
Traduction française : Éditions Robert Laffont, S.A., Paris, 2013

ISBN 978-2-221-13503-7
(édition originale : ISBN 978-0-345-53664-8, Bantam Books Trade
Paperback Edition)

Chapitre 1

Il y a une semaine, mon père a été opéré d'une tumeur au pancréas. L'intervention, qui a duré cinq heures, s'est révélée plus compliquée que prévu. Ensuite, les médecins lui ont annoncé la mauvaise nouvelle : il n'en avait plus pour longtemps. Je n'étais au courant ni de son opération ni de sa maladie, et je n'étais donc pas présent lorsque la sentence de mort est tombée. Communiquer avec mon père n'est pas une de mes priorités. Quand j'ai appris son dernier divorce, il y a dix ans, il s'était déjà remarié.

Sa femme — la cinquième ou la sixième — a fini par m'appeler et, après s'être présentée, m'a rapidement mis au courant de la situation. Agnès — c'est son nom — m'a expliqué que mon père ne m'avait pas appelé lui-même parce qu'il n'était pas en forme. Je lui ai dit de ne pas s'en faire, qu'il n'avait jamais envie de m'appeler. Elle m'a demandé si je pouvais me charger d'annoncer la nouvelle au reste de la famille. J'ai failli lui répondre : « Pourquoi donc ? » mais je n'ai pas eu envie d'accabler cette pauvre femme.

Le reste de la famille, c'est Jill, ma sœur cadette, et ma mère. Jill habite Portland et je pense qu'elle n'a pas échangé un mot avec mon père depuis au moins dix ans. Ses deux enfants ne l'ont jamais rencontré et sans doute ne le rencontreront-ils jamais. Ma mère, après avoir subi douze années de mariage avec lui, est partie refaire sa vie avec ma sœur et moi-même sous le bras. Je pressens que cette mort annoncée ne lui fera ni chaud ni froid.

Vous l'aurez compris, les retrouvailles à Noël autour du sapin, ce n'est pas trop le genre de la famille.

Assis à mon bureau après l'appel d'Agnès, j'essaye d'imaginer la vie sans Warren, mon père. J'ai commencé à l'appeler Warren à l'université, quand j'ai finalement admis qu'il était un étranger pour moi. Ça ne l'a pas vraiment dérangé. Il se fichait pas mal de comment je l'appelais, je pense même qu'il aurait préféré que je ne l'appelle pas du tout. De temps à autre, je faisais un effort. Pas lui.

Je passe un coup de fil à Jill pour lui annoncer la nouvelle. Elle me demande tout de suite si je compte me rendre à l'enterrement, ce qui me paraît un peu prématuré. Elle s'interroge: pourquoi lui dirait-elle adieu, pourquoi ferait-elle semblant d'être affectée alors que — trêve d'hypocrisie — elle s'en fiche? Tout comme moi, d'ailleurs, ce qu'elle sait pertinemment. Nous n'aimons pas Warren car Warren ne nous a jamais aimés. Il nous a abandonnés quand nous étions petits et a passé les trente années suivantes à faire comme si nous n'existions pas. Aujourd'hui, Jill et moi sommes devenus parents, et notre incompréhension n'en est que plus vive: comment un père peut-il se désintéresser totalement de ses enfants?

— Moi, je n'irai pas le voir, finit-elle par lâcher. Ce n'est pas aujourd'hui que je vais commencer. Et toi?

— Je ne sais pas. Je me le demande.

Mais je connais déjà la réponse. Warren a sans doute brûlé tous les ponts, empoisonné tous les puits, mais il lui reste encore quelque chose à régler avant de quitter ce monde.

Ma mère vit à Tulsa avec son deuxième mari. Au lycée, Warren était le roi des *jocks*[*] et elle, la reine de l'école, la plus populaire de toutes les filles. Leur mariage avait ébloui leur petite ville, mais quelques années de vie commune avaient suffi pour effacer jusqu'au souvenir des paillettes. Ils ne se parlent plus depuis une éternité — et pour cause : qu'auraient-ils à se dire ?

— Maman, j'ai une mauvaise nouvelle à t'annoncer, dis-je dans le combiné avec le ton de voix qui convient.

— Mon dieu, qu'y a-t-il ? me répond-elle sans me laisser le temps de finir, car elle pense de toute évidence à ses petits-enfants.

— Warren est mourant. Cancer du pancréas. Il n'en a pas pour longtemps.

Une pause. Son soulagement est palpable. Puis :

— Je croyais qu'il était déjà mort.

Voilà pourquoi la famille ne se pressera pas autour de son cercueil. Et sans penser un mot de ce qu'elle dit, elle ajoute :

— Je suis vraiment désolée. Tu te charges de tout, je suppose ?

— J'en ai bien l'impression.

— Je ne veux rien savoir, Paul. Appelle-moi quand ce sera fini. Non, ne m'appelle pas. Je m'en moque.

— Je comprends.

---

[*] Dans la culture américaine, un *jock* est un jeune étudiant dont le sport est le principal centre d'intérêt.

Il la battait, sans doute plus que je ne l'imagine. Il buvait, c'était un coureur, il menait la vie débridée du joueur de baseball professionnel. Il était arrogant, cynique et depuis l'âge de quinze ans il avait l'habitude d'obtenir tout ce qu'il voulait parce qu'il s'appelait Warren Tracey et lançait des balles puissantes comme des boulets de canon.

Ma mère change de sujet: on passe aux enfants et à sa prochaine visite. C'est une femme aussi ravissante qu'intelligente, ce qui lui a permis de retomber sur ses pieds après avoir quitté Warren. L'homme plus âgé qu'elle a épousé par la suite — il dirige une compagnie pétrolière — lui a donné une belle maison pour nous élever, ma sœur et moi-même. Pour moi, la seule chose qui compte, c'est qu'il l'adore.

Je pense que Warren, lui, ne l'a jamais aimée.

Chapitre 2

Ça s'est passé pendant l'été 1973, alors que le pays se remettait à peine du traumatisme de la guerre du Viêtnam. Le vice-président Agnew s'était fait pincer pour avoir accepté des pots-de-vin et sa démission se profilait à l'horizon. L'affaire du Watergate venait à peine de commencer — on n'avait pas fini d'en entendre parler. J'avais onze ans mais je ne m'intéressais que vaguement à ce qui se passait dans le monde, parce que mon monde à moi, le seul qui comptait vraiment, c'était le baseball. Mon père lançait pour les Mets de New York et ma vie gravitait autour de leurs matches. J'étais moi aussi lanceur, pour les «Scrappers» de White Plains, l'équipe locale de gamins dans laquelle je jouais. Parce que j'étais le fils de mon père, on plaçait beaucoup d'espoirs en moi, mais j'étais rarement à la hauteur, sauf de temps à autre.

Au début juillet, le championnat de la division Est de la Ligue nationale* ronronnait mollement. Aucune

---

* Le baseball professionnel américain est organisé en deux ligues: la Ligue nationale et la Ligue américaine. Chaque ligue a son championnat, chaque championnat étant lui-même subdivisé en trois divisions, Est, Ouest et Central. L'équipe des Mets, dont il sera beaucoup

des six équipes en lice — les Mets de New York, les Pirates de Pittsburgh, les Cardinals de Saint Louis, les Phillies de Philadelphie, les Cubs de Chicago et les Expos de Montréal — ne semblait capable de faire la différence. Sur la côte Ouest, les Reds de Cincinnati et les Dodgers de Los Angeles avaient, quant à eux, creusé l'écart. Du côté de la Ligue américaine, les A's d'Oakland, ces rouleurs de mécaniques dont les uniformes bariolés et les cheveux longs défrayaient la chronique, semblaient bien partis pour remporter à nouveau leur championnat, comme en 1972.

Avec mes copains, on suivait religieusement tous les championnats. On connaissait le nom de tous les joueurs et leurs moindres statistiques. On comparait et recomparait les cartes de match, et ensuite on rejouait les parties sur les terrains de White Plains. À la maison, la vie n'était pas toujours drôle, mais je m'échappais aussi souvent que possible vers le terrain de baseball. Mon meilleur ami, c'était le baseball, et au cours du mois de juillet, ce sport serait galvanisé comme il ne l'avait pas été depuis longtemps.

Tout a commencé discrètement, par une blessure. Le joueur du premier but de l'équipe AAA de Wichita affiliée aux Cubs de Chicago s'est déchiré le tendon du jarret au cours d'un match*. Le lendemain, le

question dans ce livre, est affiliée à la Ligue nationale ; l'autre équipe new-yorkaise, les Yankees, dont le logo est célèbre dans le monde entier, fait partie de la Ligue américaine. Une fois l'an, les gagnants de chaque championnat s'affrontent au cours des Séries mondiales. *(N.d.T.)*

* Juste en dessous des ligues majeures, qui représentent le plus haut niveau du baseball professionnel, il y a ce qu'on appelle les ligues mineures, elles-mêmes subdivisées en équipes AAA, AA, et ainsi de suite. Chaque équipe de ligue majeure a des équipes affiliées dans les ligues mineures, qui lui servent de pépinière de talents et dans lesquelles elle puise des joueurs. *(N. d T.)*

joueur du premier but des Cubs, Jim Hickman, dont il était le remplaçant, s'est lui-même blessé au dos. En conséquence, les Cubs ont dû faire appel à l'équipe AA de Midland, dans le Texas, qui leur était affiliée, pour faire monter en ligue majeure un jeune gars de vingt et un ans, un certain Joe Castle. À ce moment-là, Joe avait une moyenne de 0,395. Il avait marqué vingt coups de circuit, produit cinquante points, volé quarante buts, le tout en ne commettant qu'une seule erreur défensive. C'était le meilleur joueur de toutes les équipes AA et il commençait à faire parler de lui.

Selon la légende, Castle dormait dans l'appartement minable qu'il partageait avec quatre autres joueurs quand le téléphone a sonné. On l'a conduit en voiture à l'aéroport de Midland, on l'a embarqué à bord du premier avion en partance pour Houston, où il a dû attendre deux heures une correspondance pour Philadelphie. Il en a profité pour appeler sa famille dans l'Arkansas et leur annoncer la bonne nouvelle. À Philadelphie, un taxi l'a conduit directement au Veterans Stadium, où il a endossé un uniforme à sa taille portant le numéro 42 avant de se retrouver sur le terrain à s'échauffer avec les autres. Il était tendu, excité, un peu largué, rien de plus normal, et lorsque Whitey Lockman, le manager des Cubs, lui a dit : « Tu vas bientôt pouvoir nous montrer ce que tu sais faire, tu es en septième position », Joe a failli lâcher son bâton flambant neuf. Pendant cette première séance d'échauffement en ligue majeure, il a raté les deux premières balles qu'on lui a lancées.

Ça ne se reproduirait pas de sitôt…

Dans l'abri, avant le match, il a demandé conseil à l'arrêt-court des Cubs, Don Kessinger, un joueur expérimenté, originaire comme lui de l'Arkansas. Kessinger avait été une vedette du baseball et du basketball universitaire, c'était un gars chaleureux et affable. Il n'avait qu'un conseil à lui donner : « Cogne ! » Rick Monday, un autre joueur expérimenté des Cubs, venait aussi de l'Arkansas, plus précisément de Batesville, sur la White River, non loin de la ville natale de Joe. Kessinger et Monday s'y sont mis à deux pour aider Joe à surmonter le pire trac de sa vie.

Ça se passait le jeudi 12 juillet 1973, une date que le baseball n'était pas près d'oublier.

Le lanceur des Phillies, Benny Humphries, était un gaucher aux balles rapides et imprévisibles qui concédait autant de buts sur balles qu'il sortait de joueurs. En se dirigeant vers la plaque dès la première manche, Joe serrait les dents et se répétait qu'il allait cogner de toutes ses forces, sur n'importe quel type de balles. De son côté, Humphries se disait qu'il allait donner à cette recrue un vrai baptême du feu en ligue majeure. Humphries a envoyé un de ses plus puissants lancers mais Joe, qui s'était placé à droite de la plaque, l'a vu venir et d'un coup de bâton parfait a expédié la balle dans les tribunes derrière le champ centre. Il a fait le tour des buts à vive allure, bien trop excité pour se laisser aller à un triomphe débonnaire. Il s'est ensuite retrouvé dans l'abri sans avoir eu le temps de respirer, tandis qu'on le félicitait de toutes parts.

Ce n'était pas la première fois dans l'histoire du baseball de ligue majeure qu'un novice marquait un coup de circuit dès la première balle. En fait, cela s'était déjà produit dix fois. Quarante-six joueurs avaient réussi un coup de circuit lors de leur première présence au bâton, et onze dès la première balle. N'empêche, son nom figurait dès à présent dans le livre des records, et on n'allait pas le refermer de sitôt : Joe Castle venait à peine de commencer.

Dans la cinquième manche, Humphries avait ouvert les hostilités par une balle rapide, haute et serrée qui avait frôlé Joe. C'était un avertissement, mais il en fallait plus pour l'intimider. Il avait laissé passer trois balles et concédé une prise avant de renvoyer une balle rapide le long de la ligne de fausses balles, côté champ gauche, où elle avait frôlé l'intérieur du poteau de démarcation. L'arbitre du troisième but avait signalé que la balle était jouable, point de départ d'un nouveau coup de circuit. Joe, qui venait de dépasser le premier but et suivait la balle des yeux avait aussitôt sprinté, avant de ralentir en déboulant sur la plaque. Ils étaient deux à détenir ce record : en 1951, Bob Nieman des Browns de Saint Louis avait marqué deux coups de circuit lors de ses deux premières présences au bâton en ligue majeure.

Ce soir-là, les Mets jouaient à Atlanta contre les Braves. Le match n'étant pas retransmis à la télévision, on l'écoutait à la radio avec mon copain Tom Sabbatini. Soudain, Lindsey Nelson, le merveilleux commentateur sportif des Mets, a annoncé ce qui venait de se produire à Philadelphie. Lindsey était dans tous ses états, et pour cause : « Mes amis, Joe Castle vient d'établir un nouveau record. Dites-vous que, parmi les milliers de jeunes gens qui pratiquent ce sport depuis ses débuts, deux seulement ont réussi l'exploit de marquer deux coups de circuit lors de leurs deux premières présences au bâton en ligue majeure. »

« Il va peut-être nous en faire un troisième ! » s'est exclamé Ralph Kiner, l'ancien joueur vedette qui officiait aux côtés de Lindsey en tant que consultant.

Les Cubs ont chassé Humphries au cours de la sixième manche, et il a été remplacé par un lanceur de relève droitier nommé Tip Gallagher. Lorsque Joe est revenu devant la plaque lors de la septième manche, les deux équipes étaient à égalité, 4 à 4, et les fans des Phillies, plutôt du genre bruyant, étaient subitement devenus silencieux. Pas d'applaudissements, juste un immense sentiment de curiosité. À la surprise générale, Joe s'est placé du côté gauche. Comme il était inconnu au bataillon, personne n'avait remarqué pendant l'échauffement qu'il était ambidextre. Il a d'abord laissé passer une balle courbe trop basse, puis a renvoyé deux balles rapides en fausses balles. Le décompte était 1-2 : Joe s'est redressé et a levé le bâton un peu plus haut. Il avait fini la saison précédente avec le plus faible nombre de retraits sur des prises de toute la Ligue du Texas. Avec déjà deux prises au compteur, Joe Castle ne pouvait pas être plus dangereux.

La première balle était trop basse, mais Gallagher a enchaîné avec une autre, rapide et bien placée. En un clin d'œil, Joe a jaugé ses chances et frappé la balle de plein fouet, laquelle est partie en chandelle vers le champ gauche. Elle s'est élevée dans les airs, de plus en plus haut, pour finir par franchir le mur d'enceinte avec une marge d'un mètre. Pour la troisième fois, Joe a fait le tour des buts avec en poche un record à première vue indéboulonnable. Jamais une recrue n'avait marqué trois coups de circuit au cours de ses trois premières présences au bâton.

Joe Castle était originaire de Calico Rock, une petite bourgade pittoresque perchée sur un contrefort de la White River, à l'est des monts Ozark. Dans l'Arkansas, on était plutôt fan des Cardinals de Saint Louis, du moins depuis les années trente, lorsqu'un garçon de ferme du coin nommé Dizzy Dean avait mené l'équipe à une victoire devenue légendaire. Son frère Paul, qu'on surnommait Daffy, lançait également dans l'équipe. En 1934, au sommet de leur gloire, Dizzy avait promis que Daffy et lui totaliseraient cinquante victoires. Ils avaient fini à quarante-neuf, dont trente pour Dizzy et dix-neuf pour Daffy. Vingt ans plus tard, Stan Musial, le Cardinal le plus célèbre de tous les temps, était révéré à Calico Rock comme une idole. Sur la véranda de chaque maison, on suivait à la radio les matches de l'équipe adorée durant les longues et brûlantes soirées d'été, comme un peu partout dans le Midwest et le Sud profond. La station KMOX de Saint Louis retransmettait les matches, et les voix familières d'Harry Caray et Jack Buck résonnaient dans les rues et les voitures.

Mais, ce 12 juillet-là, les postes de Calico Rock étaient réglés sur la station WGN de Chicago, et les gens étaient suspendus au moindre geste de Joe. La rivalité des Cubs et des Cardinals était la plus féroce de toute la Ligue nationale, et bien des habitants de Calico Rock avaient eu du mal à se transformer subitement en supporters de l'ennemi héréditaire. La conversion s'était opérée en quelques heures. Après le premier coup de circuit, une foule s'était rassemblée devant le drugstore Evans, sur Main Street. Le deuxième coup de circuit les avait électrisés, et la foule n'avait cessé de grandir. Quand la famille de Joe — ses parents, ses deux frères accompagnés de leurs femmes et de leurs enfants — s'était jointe à la fête, on les avait acclamés et embrassés.

Le troisième coup de circuit avait mis la ville en transe. Dans les rues et les pubs de Chicago, c'était aussi le délire.

Ses trois premières présences au bâton avaient été stupéfiantes, mais c'est la quatrième qui ferait de Joe une idole du baseball jusqu'à la fin des temps. Dans la première partie de la neuvième manche, les deux équipes étaient à égalité, 6 à 6, avec deux retraits contre les Cubs. Don Kessinger était au troisième but, et un lanceur droitier coriace nommé Ramon officiait sur le monticule. Quand Joe s'est dirigé vers la plaque, une partie des dix-huit mille fans présents a poliment applaudi, puis un étrange silence s'est installé dans le Veterans Stadium. Ramon a commencé par lancer une balle rapide vers l'extérieur de la plaque. Comme si de rien n'était, Joe l'a expédiée juste à droite du premier but: une fausse balle, peut-être, mais quelle fausse balle… Ernie Banks, le coach de première base des Cubs, avait à peine eu le temps de l'éviter. Si la balle l'avait touché, elle lui aurait vraiment fait mal. Greg Luzinski, le joueur du premier but des Phillies, s'est décalé sur la gauche, mais la balle avait déjà rebondi sur le mur d'enceinte et roulait sur le champ droit. Instinctivement, Luzinski avait ensuite fait deux pas en arrière. Joe l'avait remarqué et changé de tactique. Le deuxième lancer était un changement de vitesse, trop haut. Avec le décompte à 1-1, Ramon a alors tenté une autre balle rapide. À peine avait-elle quitté sa main que Joe s'est élancé vers le premier but en traînant le bâton derrière lui. Celui-ci a amorti la balle, laquelle a ensuite rebondi sur le sol en roulant vers Denny Doyle, qui jouait au deuxième but. Pris de court, tout comme Ramon, Luzinski et les spectateurs, Doyle n'a pu la saisir. Lorsque Larry Bowa, le champ centre des Phillies a fini par l'attraper, ou plutôt lorsque la balle a fini par rouler jusqu'à lui, Joe avait dépassé le premier but de plusieurs mètres et freinait le long de la ligne de fausses balles tandis que Kessinger touchait tranquillement la plaque et marquait un point. Les spectateurs, sidérés, étaient silencieux. Les joueurs n'en revenaient pas : alors qu'il avait la possibilité de marquer quatre coups de circuit au cours de la même partie — ce qui s'était produit neuf fois seulement en l'espace de cent ans —, le gamin avait choisi de jouer un amorti parfait pour permettre à son équipe de prendre l'avantage.

La plupart des auditeurs de Calico Rock avaient déjà vu Joe Castle placer ce type d'amorti, même s'il ne faisait pas ça tous les jours. En général, il préférait marquer un coup de circuit en tapant si fort que la balle sortait du terrain. Charlie, son frère aîné, qui écoutait le match assis sur un banc devant le drugstore, lui avait appris à dix ans à exécuter des amortis. Il lui avait aussi montré comment frapper des deux côtés, voler des buts, et renvoyer une fausse balle quand un lancer ne lui plaisait pas. Son autre frère, Red, lui avait envoyé mille balles près du sol pour l'aider à perfectionner son jeu de jambes au premier but. Et surtout, ses deux frères lui avaient appris à ne jamais s'avouer vaincu.

« Pourquoi un amorti ? a demandé à Charlie quelqu'un dans la foule.

— Pour marquer le point et prendre l'avantage, a répondu Charlie. C'était aussi simple que ça. »

Vince Lloyd et Lou Boudreau, les commentateurs des Cubs, ont consulté le livre des records : trois coups de circuit au cours du premier match d'une carrière, c'était une première. Quatre coups sûrs au cours d'un premier match, c'était un record moderne (à cause d'une recrue qui avait frappé cinq coups sûrs en 1894).

Chicago a remporté le match 7 à 6 et, à la fin de la partie, les fans des Cubs sont restés scotchés à leurs postes. Une page d'histoire venait de s'écrire, et personne ne voulait en rater le moindre instant. Lou Boudreau avait promis à ses auditeurs que Joe serait rapidement devant le micro pour une interview.

À Calico Rock, la foule ne cessait de grandir et l'ambiance était survoltée : la fierté était palpable, littéralement. Une demi-heure après la fin du match, la voix de Lou Boudreau s'est élevée sur les ondes : « Je me trouve dans le vestiaire, pas loin de Joe Castle, qui est cerné par les journalistes, comme vous pouvez l'imaginer. Le voici qui vient vers nous. »

À Calico Rock, Main Street s'est aussitôt trouvée plongée dans le silence, plus personne ne bougeait, plus personne ne parlait ;

— Alors Joe, pas mal pour un premier match, non ? À quoi pensez-vous en ce moment ?

— Eh bien, à ma famille et à mes amis de Calico Rock. J'aurais aimé qu'ils soient là. Je ne comprends toujours pas bien ce qui m'arrive.

— Joe, à quoi pensiez-vous en prenant le bâton dans la première manche ?

— J'ai prié pour une balle rapide et j'ai cogné de toutes mes forces. Je suppose que j'ai eu de la chance.

— Aucun joueur n'a jamais marqué trois coups de circuit lors de ses trois premières présences au bâton. Vous savez que vous êtes entré dans le livre des records ?

— Puisque vous le dites! Moi, je suis juste heureux d'être là. Hier soir à la même heure, je jouais à Midland, dans le Texas. J'ai du mal à y croire.

— Ça se comprend. Il faut que je vous pose la question — et je sais qu'on vous l'a déjà posée un tas de fois : qu'est-ce qui vous a pris dans la neuvième manche? Vous aviez la possibilité de marquer un quatrième coup de circuit, et vous avez préféré un amorti!

— Je ne voulais qu'une chose : gagner. Et pour gagner, il fallait que Don touche la plaque. Le baseball, c'est super, mais c'est encore mieux quand on gagne!

— Vous êtes sur une belle lancée. Vous espérez continuer demain soir?

— Je ne pense pas à demain mais au steak que Don et les potes ont promis de me payer, mais je suis sûr qu'on aura l'occasion d'en reparler.

— Bonne chance!

— Merci! Merci beaucoup!

À Calico Rock, cette nuit-là, on avait eu du mal à se coucher.

Le lendemain, ma mère m'a réveillé à six heures du matin, comme elle me l'avait promis, pour me permettre de regarder les infos à la télé. J'espérais voir la tête qu'avait Joe Castle. Channel Four, la chaîne locale de New York, a d'abord résumé rapidement les matches de la Ligue nationale. Les Mets avaient gagné à Atlanta. Et ensuite on a vu Joe Castle faire le tour du terrain à Philadelphie, une, deux, trois fois. Son amorti a eu droit au même temps d'antenne que ses trois coups de circuit mis bout à bout. Ce type était génial.

Ma mère avait récupéré le *New York Times* sur notre pas de porte. La une de la section des sports affichait une photo en noir et blanc de Joe Castle accompagnée d'un long article sur ses débuts historiques. J'ai pris les ciseaux, découpé l'article et inauguré un nouvel album qui viendrait s'ajouter à ceux que je tenais déjà méticuleusement. Lorsque les Mets jouaient à domicile et que mon père était à la maison, je mettais les journaux de côté pendant quelques jours et je découpais les articles plus tard.

J'adorais quand les Mets étaient en déplacement. Mon père n'était pas là et le calme régnait à la maison, c'était agréable. Dès qu'il réapparaissait, en revanche, l'ambiance changeait du tout au tout. C'était un homme égocentrique, taciturne, qui avait rarement un mot aimable pour quiconque. Sur le terrain, il donnait rarement le meilleur de lui-même, mais c'était toujours la faute des autres — le coach, ses coéquipiers, les propriétaires de l'équipe, les arbitres. Les soirs où il lançait, il rentrait souvent tard, après avoir fait la tournée des bars, et ça finissait mal. Je n'avais que onze ans, mais j'avais compris que mes parents ne vieilliraient pas ensemble.

Quand les Mets étaient en tournée, il ne nous téléphonait presque jamais. Souvent je me disais que ça aurait été génial si mon père nous avait appelés après chaque match pour prendre des nouvelles et parler baseball avec moi. Je suivais tous les matches de son équipe, à la télé et à la radio, et j'aurais eu mille questions à lui poser mais il ne pouvait jamais, trop occupé, j'imagine, à sortir avec ses potes.

Pour moi, jouer au baseball était un vrai plaisir quand mon père n'était pas là. À cause de son emploi du temps, il assistait rarement à mes matches, et c'était un vrai soulagement. Quand il était là, en revanche, je n'avais plus envie de jouer. Il me sermonnait en me conduisant sur le terrain, m'aboyait dessus pendant le match et, pire que tout, me démolissait sur le chemin du retour. Un jour, il m'a giflé alors que la voiture s'éloignait à peine du terrain. À partir de sept ans, j'ai pleuré chaque fois que mon père était présent à un de mes matches.

Chapitre 3

J'ai rencontré Sara en deuxième année à l'université d'Oklahoma. Nous nous sommes mariés un mois après avoir obtenu nos diplômes. J'avais invité Warren à la cérémonie de remise des diplômes ainsi qu'au mariage, mais il n'est pas venu, ce qui n'a surpris personne.

Nous avons trois filles adorables et habitons Santa Fe, où je mets au point des logiciels pour une compagnie aéronautique. Avant la naissance de nos enfants, Sara était architecte d'intérieur, ensuite elle a décidé de devenir maman à plein temps. Chaque naissance a été une joie, rien de surprenant à cela, c'étaient de beaux bébés bien portants, et je n'ai jamais regretté le sexe que Dieu leur a choisi. À vrai dire, je préfère ne pas avoir eu de garçon, car je n'aurais jamais eu envie d'échanger des balles avec lui. La plupart de mes amis ont un garçon ou deux, et ils se sont tous retrouvés à jouer au baseball avec eux. Si j'avais eu un garçon, je n'aurais pas eu le choix.

J'ai arrêté le baseball à l'âge de douze ans, et je n'ai pas regardé un match pendant près de trente ans. Je travaille pour une de ces compagnies aux idées avancées qui offrent toute sorte d'avantages sociaux et font preuve d'une grande souplesse en matière d'organisation du travail. Je pourrais, si je le souhaitais, travailler depuis mon domicile, mais j'aime bien le bureau, les collègues, et même mes patrons. J'aime voir la technologie prendre vie, évoluer, aboutir enfin sur le marché.

J'explique à mon chef que j'ai besoin de prendre quelques jours pour des motifs d'ordre personnel. Il me donne son accord. Je fais part de mes plans à Sara, elle comprend parfaitement ce que je dois faire. Elle connaît mon histoire et nous savons l'un comme l'autre que ce voyage est inévitable.

Je me rends en voiture à l'aéroport de Santa Fe et j'achète un aller simple pour Memphis, via Dallas.

Quand Warren a eu trente-cinq ans, il a persuadé un vieux copain des Orioles de Baltimore de lui donner une chance, sans doute la dernière. Il avait encore de la force dans le bras, mais ne maîtrisait plus ses lancers. Et surtout, son nom était devenu un repoussoir : plus personne ne voulait de lui. Il s'était donc présenté aux entraînements de printemps, avait fait un flop lors de sa première prestation et était remercié dès le lendemain. Après quoi il avait appelé ma mère pour lui annoncer qu'il restait en Floride parce qu'une équipe de ligue mineure voulait soi-disant l'engager comme entraîneur. C'était faux et je le savais. J'avais douze ans et j'avais compris depuis longtemps que mon père était un menteur compulsif. Quelques mois plus tard, ma mère demandait le divorce, et à la fin de l'année scolaire nous sommes partis pour Hagerstown, dans le Maryland, où habitaient ses parents.

Warren Tracey a donc pris sa retraite avec soixante-quatre matches gagnés contre quatre-vingt-quatre perdus. En seize ans de carrière, il avait joué pour les Pirates de Pittsburgh, les Giants de San Francisco, les Indians de Cleveland, les Royals de Kansas City, les Astros de Houston et les Mets de New York. Il avait passé plus de temps en ligue mineure qu'en ligue majeure. Ses trois années chez les Mets étaient son record de longévité, mais il avait été rétrogradé en équipe AAA au moins quatre fois. Il avait retiré sur des prises quatre cent trente frappeurs et en avait laissé quatre cent seize marcher jusqu'au premier but. Son nom figure dans le livre des records mais pas au meilleur des endroits : il s'est distingué en 1972 en frappant le plus grand nombre de frappeurs. Il n'était jamais content, et quand l'équipe dans laquelle il jouait ne cherchait pas à l'échanger, c'est lui qui en faisait la demande. On ne peut pas dire que sa carrière a été vraiment brillante mais d'un autre côté les fans de baseball savent bien que seulement un joueur de ligue mineure sur dix parvient en ligue majeure. Quand j'étais très jeune et influençable, j'étais fier de ce père qui jouait en ligue majeure. J'étais le seul gamin de ma rue à pouvoir me vanter de ça. En grandissant, j'ai fini par regretter de ne pas avoir un père comme les autres, un père qui aurait aimé échanger des balles avec son fils dans le jardin tout en lui prodiguant des conseils.

Pendant son passage chez les Mets, mon père partait toujours pour l'entraînement de printemps bien avant la date prévue. Il inventait toute sorte de prétextes, mais la vérité c'est qu'il voulait se tirer pour jouer au golf, travailler son bronzage, boire des coups et se taper des filles. Jill et moi, on se fichait bien de la dernière excuse en date. On était contents de le voir partir.

Nous avons passé une année à Hagerstown, puis ma mère nous a appris que mon père s'était remarié en Floride. Ça nous a fait un coup, on s'est dit qu'il allait peut-être refonder une famille avec sa nouvelle femme.

Pendant le vol Dallas-Memphis, je feuillette mon vieil album consacré à Joe Castle. Il est bourré de coupures de journaux et de magazines, dont le numéro de *Sports Illustrated* daté du 6 août, dont la couverture lui était consacrée. S'y trouve également la pièce que j'avais le plus chérie pendant ce remarquable été 1973 : une belle photo en noir et blanc sur laquelle Joe souriait, juvénile. En bas il avait écrit, très lisiblement : «À Paul Tracey, avec toute mon amitié», avec son autographe en dessous. Je collectionnais ces photos, quand j'étais gamin. Avec mes copains, on avait écrit à des centaines de joueurs professionnels pour leur demander des photos dédicacées. De temps à autre, lorsqu'une photo arrivait par la poste, on pouvait frimer. Mon père recevait aussi des lettres de ce type, mais il s'estimait bien trop important pour accorder une telle faveur. Il n'arrêtait pas de pester contre les fans qui lui demandaient des autographes.

Je cachais mes albums pour qu'il ne les voie pas. Dans sa vision tordue du monde, je ne devais avoir d'autre objet d'admiration que lui.

Quand j'ai arrêté le baseball, ma mère a rangé mes souvenirs dans le grenier sans me demander mon avis. Plus tard, lorsque je me suis marié, elle me les a rendus — il y en avait deux boîtes pleines. Je voulais les brûler, mais Sara m'a convaincu de ne pas le faire, raison pour laquelle je les ai encore aujourd'hui.

Je n'ai jamais mis les pieds à Memphis en plein été, et lorsque je sors de l'aéroport je manque de suffoquer. L'air est brûlant, gluant, en quelques minutes ma chemise est trempée. Je prends la navette jusqu'au bureau Avis, où je récupère la voiture que j'ai louée. Je mets en marche la climatisation et me dirige vers l'ouest, de l'autre côté du Mississippi, là où se trouve le delta de l'Arkansas.

Quatre heures de route me séparent de Calico Rock.

Chapitre 4

Le vendredi 13 juillet 1973, la page des sports du *Chicago Tribune* titrait en gras: «Quatre fois sur quatre». Il y avait une grande photo en noir et blanc de Joe Castle, et pas moins de trois articles étaient consacrés à son premier match historique. Toute la ville parlait du «gamin». La tribu des fans des Cubs, endurcie par des années de frustration, avait enfin de quoi se réjouir.

Joe avait dormi jusqu'à tard, appelé sa famille et parlé avec ses parents et ses frères pendant une bonne heure, avant d'engloutir un petit-déjeuner aussi colossal que tardif en compagnie de Don Kessinger et Rick Monday. Il avait ensuite passé un moment au téléphone avec ses coéquipiers de Midland. Les journalistes voulaient lui parler, mais il en avait déjà assez d'eux. À quatre heures de l'après-midi, il était monté dans le car qui devait conduire l'équipe jusqu'au Veterans Stadium. Dans le vestiaire, Whitey Lockman lui avait annoncé: «T'es en troisième position ce soir, gamin, ne fais pas le con.» Deux heures avant le match, il avait pénétré sur le terrain, s'était étiré, échauffé, puis avait ramassé cent balles au sol au premier but. Le temps semblait s'être arrêté. Il n'en pouvait plus d'attendre le début du match.

Lorsqu'il s'était enfin dirigé vers la plaque dans la première partie de la première manche, deux frappeurs venaient de se faire retirer et quarante-cinq mille fans des Phillies se serraient sur les gradins. Des millions de supporters des Cubs avaient l'oreille collée à leur transistor ou étaient rivés devant leur télévision. Joe avait envoyé la balle au fond du champ droit et s'était propulsé au deuxième but. Et de cinq. Au cours de la troisième manche, alors que les buts étaient remplis, il avait atteint le premier but et permis à deux joueurs de marquer. Et de six. Lors de la cinquième manche, avec les buts vides et deux frappeurs retirés, il s'était installé du côté droit et avait renvoyé un amorti vers le troisième but, où Mike Schmidt avait réussi à attraper la balle mais n'avait pas eu le temps de la renvoyer : Joe avait déjà dépassé le premier but à toute allure. Et de sept. Dans la septième manche, il avait envoyé une balle rapide frapper le haut du tableau d'affichage derrière le champ centre. Il avait fait le tour des buts en prenant son temps, et les fans des Phillies lui avaient offert une ovation mesurée mais prolongée.

Et de huit.

Au début de la neuvième manche les Cubs menaient 12 à 2. Deux frappeurs s'étaient fait retirer lorsque Joe s'est installé sur la plaque du côté gauche. Il avait déjà aligné deux simples, un double et un coup de circuit, et le public tout comme les millions d'auditeurs et de téléspectateurs priait pour un triple. Vince Lloyd et Lou Boudreau suppliaient carrément le ciel. Dans l'univers du baseball, un cycle complet

— un simple, un double, un triple et un coup de circuit — ça n'arrive pas tous les jours ; trois fois par saison en moyenne. Mais puisque Joe semblait décidé à pulvériser tous les records, pourquoi pas ? Il avait commencé par aligner dix fausses balles, puis avait frappé un des coups de circuit les plus puissants de l'histoire du Veterans Stadium. Alors qu'il dépassait le troisième but, Mike Schmidt lui avait lancé : « Hé, le gamin, pas mal pour une partie ! »

Et de neuf, dont cinq coups de circuit.

Ce soir-là, Chicago était en feu.

Pour fêter la fin de notre saison, les Scrappers s'étaient retrouvés autour d'un barbecue chez Tom Sabbatini. M. Sabbatini faisait griller la viande dans le jardin — hot dogs et cheeseburgers — et la plupart des parents étaient présents, dont ma mère. Ce soir-là mon père jouait à Atlanta mais ce match ne nous intéressait pas. M. Sabbatini avait installé son transistor dans le jardin, réglé sur la station WCAU de Philadelphie. À l'époque on pouvait capter des matches retransmis depuis New York, Philadelphie, Boston et même Montréal et Baltimore. Il m'arrivait de passer des soirées entières dans ma chambre à suivre plusieurs matches à la fois.

Chaque fois que Joe Castle prenait le bâton, la fête s'interrompait et on se pressait autour de la radio. Harry Kalas, le présentateur des Phillies, était de plus en plus excité alors que son équipe se faisait battre à plate couture ! À chaque coup de Joe, et surtout après ses deux coups de circuit, on hurlait et on bondissait autour du poste comme si on était des fans des Cubs depuis toujours. À un moment, Harry a dit : « Je pense qu'il doit y avoir beaucoup de supporters des Cubs ce soir, surtout dans la petite ville de Calico Rock, dans l'Arkansas. »

Lorsque Joe a pris le bâton lors de la neuvième manche, on trépignait littéralement. Après chaque fausse balle, on respirait un grand coup, et on se rapprochait encore plus du poste. Harry a dit : « Deux prises contre Castle. » On a entendu le craquement du bâton et Harry, avec ses formules habituelles pour annoncer un coup de circuit, a décrit ce qu'il voyait : « Le lancer… Quelle puissance… Et cette balle !… Cette balle ne reviendra pas ! Tout en haut des tribunes. Par-dessus Mike Schmidt !… Par-dessus Greg Luzinski !… Cinq sur cinq. Neuf fois neuf. C'est incroyable, tout bonnement incroyable. »

Une page d'histoire était en train de s'écrire, j'avais beau n'avoir que onze ans et me trouver très loin du lieu du match, j'avais le sentiment d'y participer. Avec les copains, on avait déjà regardé le calendrier et on savait que les Cubs rencontreraient les Mets au Shea Stadium à la fin août. Ils commençaient déjà à me demander des billets.

Après trois rencontres à Philadelphie sur une tournée qui en comprenait dix, les Cubs rentraient à la maison. Avant de rendre l'antenne, Harry Kalas a dit : « J'ai du mal à imaginer l'accueil que le Wrigley Field va réserver à Joe Castle demain soir. J'aurais bien aimé voir ça. »

Les Cubs ont quitté Philadelphie vers minuit et débarqué deux heures plus tard à Chicago. Au moment où l'équipe montait dans le car, Joe Castle avait goûté pour la première fois à la célébrité. Plusieurs dizaines de fans des Cubs attendaient derrière une barrière en espérant apercevoir leur nouvelle idole. Il s'était approché d'eux, avait serré quelques mains, remercié tout le monde d'être resté là si tard, puis avait grimpé dans le bus où l'attendaient ses coéquipiers, impatients de rentrer mais savourant aussi le moment. On avait installé Joe dans un hôtel sous un faux nom, et il avait fini par s'endormir vers trois heures du matin.

Peu de temps après, ses parents et ses deux frères ont pris la route pour Chicago, un long voyage. À deux heures de l'après-midi, les Cubs devaient jouer contre les Giants et rien au monde ne les aurait empêchés de rejoindre le Wrigley Field.

À l'époque le câble n'existait pas et les seules retransmissions qu'on pouvait voir à la télévision étaient les Séries mondiales, le match des étoiles et le match hebdomadaire de la chaîne NBC, le samedi après-midi, présenté par Curt Gowdy et Tony Kubek. Le 14 juillet, le match devait être retransmis de Detroit, où les Tigers affronteraient les A's d'Oakland. Mais aux toutes premières heures de la journée, NBC avait découvert comme le reste du monde les débuts aussi irrésistibles que sidérants de Joe Castle à Philadelphie. D'un coup, la partie la plus importante de cette journée était devenue celle qui devait opposer les Cubs aux Giants. C'était indiscutable : rien ne valait ce match-là. Les amoureux du baseball auraient les yeux tournés vers le Wrigley Field.

Il pleuvait à Detroit ce matin-là, pas une pluie battante mais tout de même assez forte pour tout tremper et NBC prit la décision controversée de transporter à Chicago sa retransmission hebdomadaire. Les Tigers et les A's avaient protesté, mais tout le monde s'en fichait. En juillet 1973, Joe Castle tenait le baseball en haleine, et NBC n'aurait jamais à regretter cette décision, qui s'avéra judicieuse : on assisterait bientôt à une autre partie historique.

On tira Gowdy et Kubek de leur lit à Detroit et on les expédia par avion jusqu'à Chicago, tandis que NBC se mettait en quatre pour installer au Wrigley Field toutes les caméras requises. La chaîne priait aussi pour une météo clémente. À la mi-journée, elle était meilleure à Detroit qu'à Chicago : à quatorze heures, au moment où le match commençait à Detroit, il n'y avait pas un nuage en vue. Par la suite, Gowdy et Kubek déclareraient qu'ils avaient été ravis du changement de plan : l'endroit où il fallait être, c'était le Wrigley Field.

Kubek avait longtemps été arrêt-court pour les Yankees, et en 1957 il s'était trouvé face à un certain Walt Dropo, qu'on appelait « Le Mur » parce qu'il faisait un mètre quatre-vingt-dix et pesait cent cinq kilos. En 1950, Dropo avait été sacré « Meilleure recrue de l'année », mais des blessures avaient compromis une carrière démarrée en trombe. Au cours des douze années suivantes, Le Mur avait joué dans différentes équipes de la Ligue américaine, avec une moyenne de 0,270 et cent cinquante-neuf coups de circuit, chiffres tout à fait honorables mais pas mémorables pour autant. Mais en juillet 1952, alors qu'il jouait avec Detroit contre les Yankees, il avait frappé douze coups sûrs de suite. Ça, c'était mémorable, au point que le record était souvent considéré comme indépassable.

Soudainement, la carrière oubliée du Mur refaisait surface. Le *Chicago Sun-Times* arborait à la une des photos de Dropo et de Joe côte à côte avec une énorme manchette : « Douze de suite ? » Quant à la page des sports du *Tribune*, elle hurlait : « Neuf sur neuf ! »

Le Wrigley Field avait été construit en 1914, mais au fil des décennies divers agrandissements avaient porté sa capacité à quarante et un mille spectateurs. Lors de la saison précédente, en 1972, seize mille spectateurs assistaient en moyenne aux matches des Cubs. Au moment de l'arrivée de Joe Castle, la moyenne était très exactement de seize mille huit cents spectateurs. Ce samedi-là, dès dix heures du matin, une longue queue s'allongeait devant les guichets et remontait jusqu'à Addison Street. Sur les toits derrière le champ extérieur gauche, les gens se préparaient à faire la fête. Wrigleyville trépignait déjà, et la tension n'avait fait que croître durant la matinée. Tout le monde voulait son billet, coûte que coûte.

On avait été chercher Joe à l'hôtel et on l'avait fait entrer dans le stade par une porte sous les gradins. Personne ne l'avait reconnu dans sa tenue de ville. Lorsqu'il avait enfin mis les pieds sur le terrain, il était onze heures. Joe avait eu du mal à fermer l'œil et avait dormi à peine trois heures. On avait ouvert les portes et le stade s'était rapidement rempli. Du côté de l'abri, Joe avait poliment salué plusieurs employés du stade et refusé de répondre aux questions d'un journaliste. Dans les vestiaires, il s'était extasié devant son casier flambant neuf tout en enfilant son uniforme. Les joueurs avaient droit à un repas léger. Pendant qu'il grignotait son sandwich en compagnie de Don Kessinger, un des entraîneurs lui avait annoncé :

— Hé, Joe, ta famille est là.

Joe avait rejoint sa mère, son père et ses frères, Red et Charlie, dans le petit couloir derrière les vestiaires. Ils s'étaient embrassés, serrés dans les bras. Ils n'arrivaient pas à croire ce qui arrivait, mais Joe ne laissait pas trop transparaître son excitation. Il leur a dit:

— Je vais me faire retirer, tôt ou tard. C'est inéluctable, c'est le baseball.

Red avait peu de conseils à lui donner, ce qui n'avait rien de surprenant:

— Cogne dès que tu peux. Si c'est serré, ne prends pas de risques.

Charlie avait ajouté:

— Tu vas en voir, des balles bizarres. Les balles rapides, c'est fini pour toi. Garde ton calme.

— Bien sûr, bien sûr, avait répondu Joe en riant, puis il leur avait fait visiter les vestiaires.

Ils étaient impressionnés, comme si le rêve qu'ils faisaient depuis des années était devenu réalité.

En arrivant au Wrigley Field, les Giants de San Francisco affichaient cinq matches de retard sur leurs rivaux de la côte Ouest, les Dodgers de Los Angeles. Le légendaire Willie Mays ne faisait déjà plus partie de l'équipe — il menait une fin de carrière paisible chez les Yankees. Mais il y avait toujours Willie McCovey et Bobby Bonds et, jusque-là, l'équipe faisait un peu mieux que les Cubs. Leur lanceur de départ était un gaucher nommé Ray Hiller, qui avait six matches gagnés et six de perdus au compteur.

À quatorze heures, au moins quarante et un mille fans excités s'entassaient dans le Wrigley Field, sans compter tous ceux qui assistaient au match depuis les toits des maisons derrière le mur d'enceinte gauche. Lorsqu'on a annoncé Joe Castle au bâton vers la fin de la première manche, une ovation tonitruante a secoué le vieux stade et recouvert les voix de Gowdy et Kubek.

Hiller était un spécialiste ès-balles pourries dont les plus rapides dépassaient rarement les 120 kilomètres-heure. Il avait commencé par lober deux balles courbes mal placées, et Joe s'était retenu de cogner. Sa troisième était un alliage bizarre de balle papillon et de balle courbe, mais elle était trop haute et, avec le compte à 3-0, Joe s'est dit que le moment était venu. Hiller lui avait alors balancé une balle glissante pas trop rapide et Joe l'avait frappée de toutes ses forces. La balle était partie en chandelle, à toute allure. On ne la reverrait pas de sitôt, c'était clair, mais où finirait-elle sa course ? Gary Matthews, le champ centre des Giants, avait commencé à reculer puis s'était arrêté, retourné, et suivait la balle du regard, les mains sur les hanches. Celle-ci a fini par heurter le quatrième étage d'un immeuble à deux cent cinquante mètres de la plaque. Joe était peut-être fatigué de courir à toute allure après chaque coup de circuit, ou peut-être se permettait-il enfin, tout simplement, de savourer l'instant, mais une chose est sûre : il avait fait le tour des buts bien plus lentement mais pas trop non plus, pour ne pas humilier le lanceur. « Il ne faut jamais humilier le lanceur », lui répétaient Red et Charlie depuis l'âge de dix ans.

Le public s'est levé et le Wrigley Field a explosé. Les applaudissements et les cris se sont prolongés jusqu'au moment où Joe est sorti de l'abri pour saluer la foule déchaînée avec sa casquette. Puis il a envoyé un baiser en direction de sa mère, installée dans la loge officielle, au deuxième rang.

Et de dix, dont six coups de circuit.

Joe a repris le bâton à la fin de la troisième manche, alors que les deux équipes étaient à égalité,

1-1. Lors du premier lancer, il a feinté un amorti, et le champ intérieur des Giants a été pris de convulsions. Ed Goodson, le joueur de troisième but, et Chris Speier, l'arrêt-court, étaient dans leurs starting-blocks avant même le lancer, car ils s'attendaient à une balle frappée en flèche d'un élan rapide. Ils se sont élancés, tout comme Tito Fuentes, tandis que McCovey faisait des sauts de puce autour du premier but. Hiller s'est redressé tout de suite après avoir lancé, visiblement terrifié par l'idée d'un amorti. Ils étaient manifestement au courant du talent de Joe pour les amortis. Une balle. Hiller s'efforçait de placer ses balles rapides aussi loin que possible du centre de la plaque, et tirait dans les coins en priant que tout se passerait pour le mieux. Son deuxième lancer était une balle rapide, une dizaine de centimètres à l'extérieur, que Joe avait frappée au tout dernier moment et envoyée dans le champ extérieur droit pour un simple.

Et de onze.

Peut-être était-ce le sentiment de vivre un moment historique, peut-être était-ce le bleu du ciel, la bière fraîche et le soleil, peut-être était-ce tout simplement la tension qui régnait dans le stade bourré à craquer, peut-être était-ce un peu de tout cela en même temps, mais l'ambiance était électrique. À présent, chaque fois que Joe se préparait, il était salué par une première ovation, suivie d'une deuxième lorsqu'il s'installait devant la plaque et, bien sûr, chaque fois qu'il frappait la balle, c'était le délire. Il répondait en touchant légèrement la visière de son casque.

Sa douzième présence au bâton est arrivée au cours de la sixième manche, avec les Cubs menant 3 à 2. Les quarante et un mille fidèles se sont levés comme un seul homme pour l'applaudir — et sont restés debout. À la télévision, Gowdy a annoncé qu'il avait une boule à l'estomac. À la radio, Vince Lloyd a déclaré que c'était le moment le plus fort de sa carrière. Lou Boudreau ne pouvait plus articuler un mot, il avait le souffle coupé.

Hiller avait laissé tomber les balles rapides et survivait en balançant des balles courbes longues et tombantes, des changements de vitesse et un mélange vicieux de balle glissante et de balle courbe qu'on appelait «slurve» en anglais. Joe avait concédé deux fausses balles sur les deux premiers lancers, et s'en voulait d'avoir essayé de frapper deux mauvaises balles. Il avait pris à nouveau appui sur ses jambes, levé son bâton et laissé passer sans bouger une balle trop haute. Le quatrième lancer était une balle lente et tombante, qui franchirait au mieux la plaque à hauteur des genoux, voire plus bas, mais Joe ne voulait pas prendre de risque. Il l'avait brutalement claquée vers le bas, et elle avait rebondi sur la plaque avant de s'envoler vers le troisième but, où Goodson l'attendait de pied ferme. Il avait continué à attendre, et lorsque la balle avait fini par arriver, Joe avait déjà dépassé le premier but et frappé son douzième coup sûr. Hé, Dropo, fais-moi de la place.

Une nouvelle fois, il a soulevé légèrement la visière de son casque pour saluer la foule en délire. Willie McCovey, qui n'était pas un tendre, lui a donné une petite tape sur le derrière avec son gant et lui a dit: «Félicitations, gamin.» Joe a souri et hoché légèrement la tête. Il était ailleurs, il vivait un rêve, dans un autre monde. Des années plus tôt, dans sa collection de cartes de baseball, il y en avait une sur laquelle figuraient Willie Mays — et Willie McCovey.

Au cours de la huitième manche, McCovey a frappé une bombe à deux points qui s'est envolée au-dessus des gradins côté champ droit pour disparaître à jamais. Lorsque les Cubs ont repris le bâton dans la deuxième partie de la manche, les Giants menaient 5 à 3.

Le score, c'était important, mais les fans des Cubs ne s'étaient pas déplacés en masse pour assister à un simple match de baseball. Le moment était exceptionnel. Leur équipe chérie n'avait pas gagné de championnat depuis 1908. Il y avait bien eu des moments mémorables — comme en 1945, lorsqu'ils avaient perdu en finale contre Detroit —, mais c'était pendant les années de guerre, et la plupart des grands joueurs avaient été enrôlés dans l'armée. Certains de leurs joueurs faisaient partie du Temple de la renom-mée, dont Hack Wilson depuis les années vingt et Ernie Banks depuis les années cinquante. En règle générale les fans des Cubs avaient plutôt l'habitude d'être déçus. Ils étaient d'une loyauté sans faille, mais rêvaient d'avoir enfin dans leur équipe un joueur plus fort que tous les autres.

Lorsque Joe a pris le bâton pour la treizième fois, la pression était déjà considérable en raison de ses douze succès précédents, mais avec les buts remplis et un retard au score de deux points, elle dépassait l'entendement. La foule était debout, hurlait, cer-tains priaient. Hiller avait été remplacé par un droi-tier nommé Bobby Lund, un lanceur de relève expé-rimenté et puissant. Plus tard, Joe reconnaîtrait qu'il préférait frapper de la gauche parce que ça lui per-mettait de percevoir un petit peu plus vite s'il s'agis-sait d'une balle rapide. Ça ne le gênait pas d'enchaî-ner les fausses balles en laissant monter le décompte mais pour cette treizième présence au bâton, sans doute la plus importante de sa vie quoi qu'il arrive par la suite, il avait décidé d'être patient. Après avoir laissé passer la première balle, haute et rapide, et étudié le lancer de Lund, il se sentait prêt. Le deuxième lancer était encore une balle rapide, peut-être un centimètre ou deux à l'extérieur, mais jouable, et Joe avait expédié un boulet de canon vers le centre. Tito Fuentes, l'homme de deuxième but, avait sauté en l'air pour tenter de l'attraper sans y parvenir et la balle avait poursuivi sa course trois mètres au-dessus du sol et fini par heurter de plein fouet le mur d'enceinte. Après un ou deux rebonds, Bobby Bonds avait réussi à mettre la main dessus et l'avait renvoyée vers la plaque. Comme il y avait déjà deux retraits sur des prises au compteur, les coureurs avaient démarré dès que le bâton avait frappé la balle, et le double de Joe avait libéré tous les buts.

En se laissant tranquillement glisser sur le sol pour atteindre le deuxième but, Joe s'était approprié un record que tout le monde prétendait «imbattable». Debout sur le deuxième but, les mains sur les genoux, il avait fixé le sol en terre battue pendant un bon moment, en essayant d'y croire, de jouir de l'instant. Le stade était déchaîné, le vacarme assourdissant.

Le receveur des Giants, Dave Rader, tenait la balle, et lorsque la poussière était retombée, il avait demandé un arrêt de jeu, traversé lentement le terrain en passant à côté du monticule et s'était dirigé vers le deuxième but, où il avait tendu solennellement la balle à Joe Castle. La foule s'était déchaînée de plus belle pour saluer ce beau geste sportif.

Joe avait enlevé son casque et accepté l'ovation. Les arbitres n'étaient pas du tout pressés de reprendre la partie. Le moment était historique, et il n'y a pas de limite de temps au baseball. Pour finir, Joe s'était dirigé vers les gradins derrière l'abri des Cubs et avait lancé la balle à son père. Puis il était retourné sur le deuxième but et avait remis son casque après avoir lancé un regard appuyé vers le fond du champ extérieur et essuyé discrètement une larme. Une caméra avait saisi le geste, et Gowdy et Kubek s'étaient empressés d'expliquer au monde entier que Joe Castle, seul au deuxième but comme dans le livre des records, était peut-être en train de devenir une légende mais qu'il était avant tout un homme, capable d'émotion.

Chapitre 5

Je roule pendant une heure sur une route mono-
tone à deux voies dans le nord-est de l'Arkansas,
jusqu'au moment où je réalise que j'ai vraiment faim.
Je me gare devant une cantine à l'entrée de la ville
de Parkin en espérant que la nourriture n'y sera pas
trop mauvaise. Je n'ai pas envie de faire la conversation, alors j'embarque une partie de mon album dans
l'intention de lire en mangeant. Installé face à un
sandwich de porc grillé et une bière, je parcours des
articles que je n'ai pas lus depuis des décennies.

Dès que Joe a fait son apparition, j'ai commencé
à rassembler tous les articles parus dans la presse de
Chicago que je pouvais me procurer à la bibliothèque
municipale de White Plains. L'imposante photoco-
pieuse Xerox qui trônait près du rayon des journaux
me permettait de tout copier pour cinq cents la page.
Les éditions dominicales du *Sun-Times* et du *Tribune*
étaient bourrées d'articles et de photos du match historique de la veille. Joe avait accordé de longues inter-
views, et il était clair qu'il en avait savouré la moindre
minute. Parmi ses réponses, il y avait des perles inou-
bliables comme :

« Si on veut bien encore de moi dans l'équipe, je pense pouvoir atteindre une moyenne de 0,750 cette saison. »

Et aussi :

« Oui, bien sûr, il reste 74 parties à jouer. Mais un coup de circuit par partie, c'est faisable. »

Ou encore :

« Je vais finir par me faire retirer. »

« La première place de la division ? C'est déjà dans la poche, mec. Je pense déjà aux Séries mondiales. Je veux jouer contre les A's. »

Comme le montraient ces remarques, Joe aimait bien bavarder avec la presse et il n'était pas dépourvu d'humour. Les journalistes de Chicago, en général impitoyables, étaient tombés sous le charme et disaient que Joe était « impertinent, mais pas du tout arrogant », et qu'il était « manifestement dépassé par ce qu'il vient d'accomplir ». Ses coéquipiers étaient en transe, mais essayaient de garder les pieds sur terre. L'un disait : « Il va se calmer, forcément, mais le plus tard sera le mieux. Pour l'instant, on a gagné quatre matches d'affilée et c'est tout ce qui compte. » Whitey Lockman, à qui on demandait si Joe ferait encore partie de la sélection, avait répondu : « Vous vous posez vraiment la question ? Mais vous êtes malade ou quoi ? »

Les photos prises après le match montraient un gamin au visage rayonnant qui dominait le monde du haut de ses vingt et un ans. C'était un beau garçon. Ses yeux d'un bleu profond et ses cheveux bouclés couleur paille faisaient de lui un gars qui aurait des filles à son cou d'un bout à l'autre du pays. Selon un des articles, il était célibataire et n'avait pas de petite amie.

Le monde entier était amoureux de Joe Castle.

J'avais regardé le «Match de la semaine» avec ma mère et après on s'était retrouvé sur un terrain vague avec Tom Sabbatini et Jamie Brooks pour échanger des balles tout en parlant de Joe. À tour de rôle, on s'amusait à mimer ses exploits. En ce bel après-midi d'été, nous étions tous certains de l'égaler un jour ou l'autre. On deviendrait tous des joueurs professionnels, ça ne faisait pas de doute, la seule question, c'était dans quelle équipe. Comme par hasard, on voulait tous jouer chez les Cubs, ensemble, et pendant longtemps.

On était à table avec Jill et ma mère quand le téléphone a sonné. C'était mon coach, qui m'a annoncé que j'avais été sélectionné pour faire partie des douze joueurs de l'équipe des étoiles, j'étais même le plus jeune, avec mes onze ans. J'en rêvais, bien sûr, mais je pensais que mes chances étaient minces. J'étais à la fois surpris et excité, et après avoir annoncé la bonne nouvelle à Jill et à maman, j'aurais surtout voulu en parler à mon père. Mais il jouait à Atlanta avec les Mets, et je savais qu'il n'appellerait pas lorsque la partie serait terminée. Maman m'a suggéré de le joindre à son hôtel, le lendemain en fin de matinée.

J'ai fini mon sandwich. Je ramasse mon album, je règle la note et reprends la route. Très vite, je laisse les champs de blé derrière moi lorsque j'atteins les contreforts des monts Ozark, qui sont plutôt de grosses collines. À Batesville, ville natale de Rick Monday, je franchis la White River et remonte son cours vers le nord, dépassant Mountain View avant de pénétrer dans le Parc national des monts Ozark. C'est un trajet splendide, la route n° 5 serpente parmi les collines comme sur une carte postale automnale, mais nous sommes en plein mois d'août et l'herbe est brune.

Je me suis renseigné : Joe Castle vit toujours à Calico Rock. Lorsque sa fulgurante et brève carrière a pris fin, il est rentré chez lui et a disparu de la circulation. Il y a bien eu quelques articles sur lui par la suite, mais avec le temps et en l'absence presque totale d'informations, on a fini par l'oublier. Un journaliste du *Sports Illustrated* a bien tenté sa chance quelques années plus tôt, mais la ville s'est refermée comme une huître, et il n'a rien pu tirer de personne. Joe était introuvable et Red, son frère, a fini par demander au journaliste de partir.

J'entre dans Calico Rock, et je me surprends à me répéter pour la centième fois que je fais une bêtise. Non seulement ma petite mission est vouée à l'échec, mais elle n'est pas sans risques.

Calico Rock est un bourg charmant, posé sur un contrefort de la White River. Autour du pont, il y a des élevages de truites ; la pêche est une activité importante tout le long de la rivière. Je me gare devant les magasins qui bordent Main Street, l'artère principale, et pendant un moment j'essaye de m'imaginer l'endroit trente ans plus tôt, pendant cet été magique, lorsque les amis de Joe et sa famille se pressaient autour du poste pour écouter Lloyd et Boudreau commenter les matches. C'est presque comme si je sentais les cœurs brisés par la fin terrible de Joe.

Je recherche un certain Clarence Rook, propriétaire du Calico Rock Record, le modeste hebdomadaire qui depuis un demi-siècle informe les gens du coin. M. Rook y travaille depuis presque aussi longtemps, et s'il refuse de m'aider, je n'ai pas vraiment de plan de secours. Ses bureaux se trouvent sur Main Street, à deux pas du drugstore Evans. Je respire un grand coup et pénètre à l'intérieur. Une jeune secrétaire en jeans m'accueille avec un large sourire amical.

— Bonjour, que puis-je faire pour vous?

— Je voudrais parler à M. Rook, dis-je, prononçant une phrase que je répète dans ma tête depuis longtemps.

— Il est occupé, me répond-elle, toujours souriante. Puis-je vous aider?

— Pas vraiment. C'est personnel.

— Très bien. Pouvez-vous me donner votre nom?

— Paul Casey. Je suis reporter au *Baseball Monthly.* »

Ce mensonge est provisoire, la vérité serait contreproductive pour l'instant.

— Tiens donc, répond-elle. Et qu'est-ce qui vous amène par ici?

— Un article sur lequel je suis en train de travailler, et je sais combien ma réponse est vague.

— Très bien, dit-elle sans insister davantage. Je vais voir s'il est disponible.

Elle disparaît dans l'arrière-boutique. J'entends des voix. Les murs sont recouverts de vieilles unes du journal, et il ne me faut pas longtemps pour retrouver celle, datée de juillet 1973, dont la manchette annonce : « Débuts fracassants de Joe Castle chez les Cubs ». Je m'approche et commence à lire. L'article est signé Clarence Rook, comme la plupart des articles en une, et il s'en dégage une fierté à peine dissimulée.

J'ai une copie de cet article, dans mon album.

— M. Rook va vous recevoir, dit la secrétaire, qui est revenue.

Elle m'indique de la tête un couloir étroit.

— Première porte sur la droite.

— Merci, dis-je, tout sourire, en me dirigeant vers l'arrière.

Clarence Rook est une figure pittoresque : joues roses, chemise blanche, nœud papillon rouge, bretelles rouges, soixante-dix ans environ, avec une épaisse barbe grise et une abondante crinière blanche à la Mark Twain. Installé derrière un vieux bureau en bois massif recouvert de dossiers et de papiers, il mâchonne le bout d'une pipe, laquelle de toute évidence quitte rarement ses lèvres. Sur le côté trône une vieille machine à écrire Royal datant des années cinquante et qui semble être toujours en activité.

— Monsieur Casey, dit-il d'une voix énergique, plutôt haut perchée, tout en tendant vers moi la main droite, Clarence Rook, enchanté.

Je lui serre la main et dis :

— Ravi de faire votre connaissance, monsieur. Merci de me recevoir à l'improviste.

— Pas de problème. Asseyez-vous donc.

Je m'installe sur la seule chaise libre, les autres sièges étant recouverts de tout un bric-à-brac.

— D'où venez-vous ? demande-t-il dans un sourire qui dévoile deux rangées de dents jaunies par la chique.

— De Santa Fe.

— C'est bien beau, par là-bas. Il y a quelques années, avec Mme Rook on a fait un petit tour en voiture dans l'Ouest, et on est passés par Santa Fe pour visiter le musée Georgia O'Keeffe. C'est une ville splendide, ça ne m'aurait vraiment pas dérangé d'y habiter.

— En effet, l'endroit est plaisant. Votre ville n'est pas mal non plus.

— Ce n'est pas moi qui vais dire le contraire. Je suis né à deux pas d'ici, à Mountain Home. Je n'imagine pas vivre ailleurs.

— Depuis combien de temps possédez-vous le journal ?

Je pose la question en guise de préliminaire, juste pour passer le temps. Ça n'a pas l'air de le déranger.

— Vingt ans. Je l'ai racheté à Mme Meeks, qui le possédait depuis toujours. Elle m'a embauché quand j'étais gamin. Je n'aurais jamais pensé que je finirais journaliste, mais j'adore ça. J'ai cru comprendre que vous étiez du métier ?

— Non, monsieur. Je ne suis ni écrivain ni journaliste.

Soudain, il ne sourit plus. Il plisse les yeux pendant qu'il digère cette information.

— Et mon nom n'est pas Paul Casey. Je m'appelle Paul Tracey.

Il ouvre un tiroir, en sort une blague à tabac, se sert une pincée de tabac, remplit le fourneau de sa pipe, tasse le tabac puis fait craquer une allumette. Le tout sans cesser de me dévisager. Après avoir exhalé un nuage de fumée, il me demande :

— On ne vous a jamais dit que vous ressemblez à Warren Tracey ?

— Ça m'est arrivé, en effet.

— Vous êtes parents ?

— C'est mon père.

Cette dernière information ne passe pas bien, comme je l'avais prévu. Depuis trente ans, j'ai souvent hésité avant de donner mon véritable nom de famille. Le plus souvent, il ne se passe rien, mais il m'est arrivé de susciter des réactions désagréables, ça m'a rendu méfiant.

Il tire sur sa pipe pendant un bon moment en continuant à me dévisager sans se gêner, puis finit par lâcher :

— Vous pourriez vous faire tirer dessus, par ici.

— Ce n'est pas mon intention, monsieur Rook.

— Quelle est donc votre intention ?

— Mon père a un cancer du pancréas. Il n'en a plus pour longtemps.

— Vous m'en voyez désolé, répond-il, mais je vois bien qu'il n'en pense pas un mot.

— On ne va pas vraiment le pleurer, par ici.

Il acquiesce :

— Vous ne croyez pas si bien dire. Dans le coin, la plupart des gens seraient ravis de voir Warren Tracey rôtir en enfer — à petit feu.

— Je m'en doute.

— Quelqu'un d'autre est au courant de votre visite ?

— Non, il n'y a que vous.

Il tire longuement sur sa pipe tout en contemplant la lampe sur son bureau, comme pour rassembler ses pensées. L'horloge murale annonce cinq heures dix. J'attends, un peu nerveux. Ou bien il va me demander de sortir, ou bien il va chercher à en savoir plus. Je penche pour la seconde option : après tout, c'est un journaliste, la curiosité est une déformation professionnelle chez lui.

— Où se trouve votre père, à présent ? finit-il par demander.

— En Floride. Il nous a quittés quand j'avais onze ans, et nous ne nous sommes pas beaucoup revus ensuite. Nous ne sommes pas proches, nous ne l'avons jamais été.

— C'est lui qui vous envoie ?

— Non, il ne sait pas que je suis là.

— Dans ce cas, puis-je vous demander ce que vous faites là, exactement?

— Je voudrais voir Joe Castle, et je me suis dit que vous deviez connaître sa famille.

— Vous avez raison, et je les connais assez bien pour vous dire que Joe n'acceptera jamais de rencontrer un inconnu, et surtout pas le fils de Warren Tracey.

Chapitre 6

Le dimanche 15 juillet 1973, un rassemblement de quarante et un mille supporters s'entassait à nouveau au Wrigley Field. Un autre attroupement, estimé à environ dix mille personnes, stationnait à l'extérieur, faute d'avoir trouvé des billets, buvant de la bière et écoutant la radio pour être au plus près de l'endroit où se déroulaient des événements historiques. Pour ne rien arranger, Juan Marichal, qui jouait à présent avec les Giants, attirait aussi les foules[*]. Les meilleures années de Marichal étaient peut-être derrière lui, mais il pouvait battre n'importe quelle équipe quand ça le chantait. Avec son geste de lancer unique, son merveilleux contrôle de la balle, ses manœuvres d'intimidation et son incroyable appétit de victoire, Marichal était un spectacle à lui tout seul — et il restait un lanceur extrêmement dangereux. En treize années de carrière, il avait joué de nombreuses fois au Wrigley Field, et y avait gagné bien plus de matches qu'il n'en avait perdus.

---

[*] Juan Marichal, lanceur d'origine dominicaine, l'un des premiers à jouer dans les championnats américains, était l'une des plus grandes stars du baseball dans les années soixante. *(N.d.T.)*

Dès le début, il avait créé des problèmes. Lorsque Joe avait pris position à la plaque, dans la deuxième partie de la première manche, Marichal l'avait visé à l'épaule. Joe s'était jeté par terre pour éviter la balle, et le stade avait explosé. Les cris, les menaces et les injures avaient fusé de l'abri des Cubs, tandis que sur le monticule Marichal frottait sa balle, un petit sourire aux lèvres, tout en réfléchissant au lancer suivant. Joe savait qu'en tant que recrue avec trois matches au compteur et un quatrième en cours, il n'avait pas le droit de se précipiter vers le monticule. C'était quelque chose qui se méritait, mais ça n'allait pas tarder. Son frère Red lui avait conseillé de garder son calme. Ils vont te viser, lui avait-il dit, ça ne va pas rater.

Le lancer suivant était une balle rapide et Joe, positionné du côté gauche, avait renvoyé un boulet de canon le long de la ligne du premier but qui avait laissé la défense clouée sur place et le public bouche bée. C'était une fausse balle, mais elle avait atterri tout en haut des tribunes. Le lancer était une quinzaine de centimètres à l'extérieur de la zone de prises et frisait les 150 kilomètres-heure, mais Joe l'avait transformé sans peine en fausse balle. Marichal était impressionné. Willie McCovey avait reculé d'un pas au premier but, et Joe l'avait remarqué. Le troisième lancer était une balle rapide, à l'intérieur. Marichal n'avait pas fini son geste théâtral sur le monticule que Joe était déjà en train de courir, le bâton traînant derrière lui. Marichal n'avait aucun moyen d'attraper un amorti juste après avoir lancé. McCovey était mal placé. Tito Fuentes s'était rué vers le premier but, mais il était trop tard. La balle avait filé le long de la ligne de jeu sur une dizaine de mètres, puis avait rebondi légèrement sur la gauche. Lorsque McCovey avait fini par la recevoir, Joe Castle avait dépassé le premier but à toute allure — et de quatorze !

McCovey n'avait pas pipé mot. La foule s'était calmée, Marichal était à nouveau sur la plaque et regardait Dave Rader de l'autre côté. Il avait armé son lancer en levant la jambe à la verticale comme il en avait l'habitude, mais lorsqu'il avait lâché la balle Joe était déjà à mi-chemin du deuxième but. Rader avait lancé une balle parfaite à Fuentes, mais pas assez vite. Joe, qui venait de glisser paisiblement jusqu'au deuxième but, avait bondi sur ses pieds, haussé les épaules, souri et écarté les bras comme pour dire à Marichal : « Tu vois ? Si tu me vises, je saurai te rendre la monnaie de ta pièce. »

Deux lancers plus tard, il volait le troisième but, puis marquait un point sur une erreur défensive du receveur.

Dans la quatrième manche, une chandelle toute en lenteur lui avait permis de progresser jusqu'au premier but, son quinzième coup sûr de suite. Mais Marichal l'avait surpris alors qu'il s'était trop éloigné du premier but, et l'avait éliminé.

Joe l'avait prédit : on finirait par le retirer. Lors de sa seizième présence au bâton, dans la septième manche, il avait renvoyé la balle tout au fond du champ extérieur centre, et pendant une seconde on aurait pu croire qu'elle allait passer de l'autre coté. Mais le champ centre des Giants, Garry Maddox, avait reculé, puis reculé, puis reculé encore. À cent vingt mètres de la plaque, presque au niveau du mur d'enceinte, Maddox avait attrapé la balle et mis fin à la série gagnante de Joe.

Joe avait atteint le deuxième but d'un pas tranquille et observait Maddox. Lorsqu'il était devenu clair que c'était fini pour lui, il avait fait demi-tour et pris le chemin de l'abri. La foule s'était levée pour l'acclamer, et il avait pris tout son temps pour sortir du terrain.

Après le match, les Cubs avaient annoncé que son maillot serait changé. Pour le reste de sa brève carrière, Joe Castle arborerait le numéro 15.

Le jeudi suivant devait avoir lieu le premier match d'une série de quatre qui opposeraient à domicile les Mets aux Cardinals de Saint Louis. C'était un prélude du match des étoiles de ligue majeure*. Bien évidemment, je connaissais l'ordre des lanceurs. Mon père serait sur le monticule jeudi soir, et je comptais bien être au Shea Stadium.

Cet après-midi-là, avant son départ pour le stade, nous avons discuté un peu baseball. Comme toujours quand il devait lancer, mon père était soucieux. Il était déjà distant la plupart du temps, mais les jours de match, je me demandais parfois s'il se rendait même compte que j'étais là. Il avait trente-quatre ans, sa fin de carrière approchait, et il voulait désespérément réussir sa sortie. Rétrospectivement, je me dis que l'idée qu'il allait se faire éjecter du baseball en raison de son âge devait lui faire très peur. Au fil des ans, il s'était avéré que le grand Warren Tracey n'était

---

* Le match «All-Stars», ou match des étoiles, également connu sous le nom «Classique des étoiles», est un match qui oppose tous les ans des joueurs de la Ligue nationale à des joueurs de la Ligue américaine. Les joueurs sur le terrain sont choisis par les fans, à l'exception des lanceurs, qui sont sélectionnés par les managers. Les joueurs de réserve sont quant à eux choisis par les joueurs et les managers. Le match a lieu le deuxième mardi du mois de juillet, et marque le milieu de la saison de baseball de ligue majeure. Pendant le match des étoiles, il n'y a pas de matches de ligue majeure. *(N.d.T.)*

peut-être pas si grand que ça. Chez les Mets, il n'était que quatrième en ligne, derrière Jon Matlack, Jerry Koosman et le formidable Tom Seaver. Le match des étoiles approchait, il avait gagné quatre matches, en avait perdu six, et sa moyenne de points mérités était de 5,60, vraiment pas de quoi frimer. Les journalistes de New York réclamaient un changement de quatrième homme. La moyenne des Mets était passée sous la barre de 0,500 depuis deux parties, et on ne voyait pas pourquoi elle s'améliorerait.

— Bravo, pour l'équipe des étoiles, m'a-t-il dit.

On s'était installés à l'ombre dans le jardin chacun avec son milk-shake. Le sien était à la banane, il buvait toujours le même, religieusement, six heures pile avant de monter sur le monticule, une de ses petites manies. Il m'avait dit un jour que tous les joueurs de baseball, en particulier les lanceurs, avaient des manies, et j'avais décidé de m'en trouver une.

— Merci ! ai-je répondu. Cette semaine on doit s'entraîner tous les jours. Samedi on joue notre premier match, contre Rye, à quatorze heures.

— Désolé de ne pas pouvoir être là.

Les Mets jouaient à la même heure ce samedi-là, et ça nous arrangeait tous les deux. Il ne pourrait pas assister à mon match, ni moi au sien.

— Tu lanceras samedi ? m'a-t-il demandé.

— Ça m'étonnerait. En ce moment, je suis en deuxième position derrière Don Clements, il a douze ans.

Il s'en fichait éperdument. Il sirotait son milk-shake en regardant la pelouse, totalement perdu dans ses pensées. Je ne lui en voulais pas vraiment. Les jours où je lançais, je ne pensais qu'à ça. J'étais incapable d'imaginer le stress qu'on devait ressentir en s'installant sur le monticule du Shea Stadium devant cinquante mille personnes.

— Qu'est-ce que tu penses de ce type, Joe Castle? lui ai-je demandé.

— Pffft. À mon avis ce n'est qu'un feu de paille. Un ou deux tours en ligue majeure, et on aura trouvé sa faille. Toutes les recrues ont une faille. On finit toujours par la trouver.

Les autres joueurs trouvaient rarement grâce à ses yeux, y compris ses coéquipiers. Du haut de mes onze ans, je trouvais ça bizarre. Il me faudrait bien longtemps pour comprendre que ses doutes sur son propre jeu l'empêchaient d'admirer celui d'un autre joueur.

— Attends de le voir face à une bonne balle glissante!

Il parlait de moins en moins distinctement, à mesure que son esprit filait ailleurs.

Je n'allais pas le contredire, pourquoi faire des histoires? J'étais ravi de pouvoir discuter baseball avec mon père. «Pas mal pour un début»? Après sept parties, Joe avait frappé vingt-quatre coups sûrs en trente et une présences au bâton, dont neuf coups de circuit, plus neuf buts volés.

— Dis, papa, j'aimerais assister au match ce soir. Je prendrai le train, je ne t'embêterai pas. Tom veut bien venir avec moi.

Il a froncé les sourcils et avalé une gorgée de son milk-shake.

Vous vous imaginez sans doute que le fils d'un joueur de baseball bénéficie de toutes sortes d'avantages et de privilèges, qu'il peut assister aux entraînements, pénétrer dans les vestiaires et, bien sûr, avoir de bonnes places. Mais ce n'était pas le style de Warren Tracey. Il ne voulait pas me voir dans les parages et se plaignait des joueurs qui laissaient leur marmaille jouer dans l'abri. Il trouvait que ça dénotait un manque total de professionnalisme. Pour lui, le terrain était un endroit sacré, seules les personnes en uniforme avaient le droit d'y mettre les pieds. Il refusait de répondre aux questions des journalistes sur le terrain, avant un match, parce qu'il estimait que la presse devait rester à l'endroit qui lui était assigné.

— Je vais voir ce que je peux faire, a-t-il fini par lâcher, comme s'il m'accordait une immense faveur.

Ma mère ne m'aurait jamais autorisé à prendre le train seul, raison pour laquelle j'avais demandé à Tom Sabbatini de m'accompagner.

— Je suppose que ta mère ne viendra pas avec toi?

Tu parles d'un sujet explosif. Maman assistait bien à quelques parties au cours de la saison, mais le moins possible. On se retrouvait à côté des familles d'autres joueurs des Mets, je connaissais certains des enfants, mais on n'était pas copains, ne serait-ce que parce qu'aucun d'entre eux n'habitait White Plains. Ma mère refusait de fréquenter les épouses de joueurs, et j'ai dû attendre de longues années avant d'en comprendre la raison. Mon père était un coureur invétéré — sur la route, à la maison, lors des entraînements de printemps, n'importe où, n'importe quand, Warren ne connaissait pas de limites. Je ne sais pas comment ma mère le savait, mais elle le savait. Dans toutes les équipes de baseball professionnel, certains joueurs sont des chauds lapins. Je ne connais pas les pourcentages, et je ne pense pas qu'il existe des statistiques fiables sur le sujet. D'ailleurs, qui ça pourrait-il bien intéresser? Des années plus tard, ma mère m'a tout raconté: les épouses savaient qui étaient les chauds lapins, et dans le cas des Mets, la réputation de Warren n'était plus à faire. Ma mère trouvait cela humiliant de faire semblant d'être une famille unie au milieu d'autres familles de joueurs.

En juillet 1973, mes parents en étaient à la douzième année d'un mariage désastreux. Chacun préparait en secret ses plans d'évasion.

Ce soir-là, Tom et moi avons pris le train jusqu'à Manhattan, et de là le métro jusqu'au Shea Stadium. Nos places étaient merveilleusement situées — à dix rangées du terrain, pas loin de l'abri des Mets. Mon père était plutôt en forme, il avait fait cinq très bonnes manches, concédant trois coups sûrs seulement, mais son équipe avait laissé filer un avantage de deux points dans la neuvième manche. Au retour, le métro était rempli de fans des Mets bien énervés et pour certains passablement éméchés. De temps à autre, lors de ces trajets, ou sur mon terrain de baseball, voire à l'école, quelqu'un faisait une remarque désobligeante sur Warren Tracey. À New York, les supporters sont bien informés, et ils ont un avis tranché sur tout. Je me souviens du jour où Tom Seaver s'est fait huer au Shea Stadium. Chaque fois que j'entendais une remarque sur mon père, je serrais les dents et résistais tant bien que mal à l'envie de répondre. Mais souvent les remarques étaient justifiées.

Je suis arrivé à la maison, j'ai embrassé maman et suis monté me coucher tout de suite. Je ne voulais pas être là lorsque mon père rentrerait à la maison — si jamais il rentrait à la maison. Il faisait toujours la tournée des bars après avoir lancé. Il ne rejouerait pas avant trois jours, alors pourquoi se priver, pourquoi ne pas se défouler un bon coup.

Chapitre 7

Le samedi suivant, l'équipe des étoiles de White Plains a perdu face à l'équipe de Rye lors du premier match du tournoi régional et les Mets se sont fait battre par les Cardinals. Je n'avais pas joué et mon père non plus. Bien sûr, en tant que lanceur de départ il ne jouait jamais un jour de relâche, mais en ce qui me concerne, j'aurais dû jouer une manche ou deux. Pendant la saison normale, lorsque je ne lançais pas je jouais en champ extérieur. J'avais une moyenne de 0,412 sur dix-huit parties, le sixième meilleur score de la ligue, et à la fin de la partie contre Rye j'aurais pu être utile au bâton. Mais notre coach n'était pas du même avis.

En étudiant le calendrier du tournoi près de la buvette, j'avais le moral dans les chaussettes. Je serais le lanceur de départ lors de notre prochain match, contre Eastchester, le lundi suivant. Mon père, hélas, serait là. Il n'avait pas été sélectionné pour faire partie de l'équipe des étoiles de la Ligue nationale, il n'avait même pas été pris en considération, ce qui selon lui était injuste. Avant le prochain match, qui devait avoir lieu mardi soir à Kansas City, il y avait une pause de trois jours.

La saison de baseball dure du 1er avril jusqu'à la fin septembre, quatre-vingt-une parties à domicile et quatre-vingt-une parties sur la route. Avec un tel calendrier, les joueurs des ligues majeures adorent la pause du match des étoiles. Ceux qui n'ont pas été sélectionnés prennent de courtes vacances à la maison. L'année précédente, alors que mon père n'avait pas été retenu non plus, il était allé à la pêche à la truite dans le Montana avec un coéquipier, puis avait rejoint les Mets à San Francisco lorsque les matches avaient repris. J'écoutais discrètement ses conversations, mais cette année-là, il n'avait pas prévu de partir.

Quand mon père assistait à un de mes matches, il ne s'installait jamais sur les bancs à côté de ma mère, avec les autres spectateurs. Il ne voulait pas qu'on l'embête. Un jour, un gamin lui avait demandé un autographe et il s'en était plaint amèrement une semaine durant. Il jouait avec les Mets, donc il était célèbre et n'avait pas à se mêler au commun des parents. Il s'installait à côté de la grille, pas loin de notre abri et de là il grognait et hurlait des conseils. Il méprisait tous mes coachs parce que selon lui ils ne comprenaient rien au jeu. Comme ils savaient qui il était, les coachs essayaient régulièrement de discuter avec lui, et sa grossièreté me faisait honte. À plusieurs reprises, je m'étais excusé de son attitude.

La partie devait avoir lieu à Scarsdale et nous n'avons pas échangé un mot pendant le trajet en voiture. J'étais assis à l'arrière avec Jill, qui faisait la moue parce qu'elle détestait le baseball. Mon père était de mauvais poil parce que le matin un journaliste avait écrit dans le *Times* que les Mets ne risquaient pas de remporter le championnat si Warren Tracey restait dans la rotation. J'étais dans tous mes états, j'avais mal à l'estomac. Ma mère feuilletait un magazine comme si tout était pour le mieux dans le meilleur des mondes.

Lorsque je me suis installé sur le monticule, je pouvais à peine tenir la balle. Mon premier lancer était une balle rapide ratée que le frappeur a envoyée de toutes ses forces dans le gant de notre arrêt-court. J'ai inspiré un grand coup et me suis détendu. Mon deuxième lancer était une balle rapide que le frappeur a envoyée en fausse balle du côté du premier but. Deux lancers, deux retraits. Ça serait peut-être plus facile que prévu. Le troisième frappeur était un cas, et tout le monde le savait. Il s'appelait Luke Gozlo, c'était un grand gaillard doté d'une grande gueule et d'un grand bâton pour appuyer ses dires. Plus tard, il serait recruté par les Red Sox de Boston mais ne sortirait jamais des ligues mineures.

Mon coach me l'a répété à plusieurs reprises : « Ne vise pas le centre de la zone de prises. Mieux vaut lui concéder un but sur balles qu'un coup de circuit. » C'est ce que je m'efforçais de faire lorsque mon troisième lancer s'est retrouvé pile au-dessus de la plaque. Luke a levé son pied gauche, frappé la balle le plus fort possible, et le bruit du bâton m'a fait mal au cœur. Notre champ gauche restait toujours planté sur place. Les mains sur les hanches, l'imbécile regardait passer la balle comme s'il s'agissait d'un numéro de voltige aérienne. La balle a atterri dans le parking. Luke a hurlé à pleins poumons puis il a fait le tour des buts en donnant des coups de poing en l'air. Quel connard ! En arrivant sur la plaque, il a sauté dessus à pieds joints et arraché son casque pour que tout le monde puisse voir son visage grimaçant.

J'ai lancé trois balles rapides aussi fort que j'ai pu et j'ai retiré le dernier frappeur. En quittant le terrain (ne jamais quitter le terrain en courant, avait insisté mon père, le lanceur ne quitte jamais le terrain en courant), j'ai vu que mon père me faisait signe de la main. Mais mon coach avait vu venir le problème, et il m'a intercepté sur la ligne de démarcation. Il m'a passé le bras autour des épaules, m'a conseillé de penser à autre chose et m'a escorté jusqu'à l'abri, loin des conseils de mon père.

Luke Gozlo est revenu au bâton dans la quatrième manche, alors que les buts étaient vides et qu'aucun joueur n'avait été retiré. Mon père criait mon nom pour attirer mon attention, mais je faisais semblant de ne pas l'entendre. Mon premier lancer a été une balle rapide que Luke a tenté de frapper, sans succès, et par-dessus les cris de nos supporters, j'ai entendu mon père hurler : « Cogne-le, Paul, vas-y, cogne-le ! » J'ai regardé mon coach qui lui aussi l'avait entendu. Il a secoué la tête pour me dire « Ne fais pas ça ».

Ça m'était arrivé de toucher des frappeurs, mais je n'avais jamais fait exprès. L'année dernière, une de mes balles rapides avait rebondi sur le casque de Kirk Barnes. Il y avait eu un bruit horrible, écœurant. Kirk avait pleuré pendant une bonne heure et on avait failli abandonner le baseball tous les deux. En plus, je ne voulais pas d'histoires avec Luke Gozlo. C'était un sale gosse, du genre à attendre dans le parking pour vous régler votre compte après le match.

Je lui ai concédé les quatre lancers suivants, dont pas un ne s'est approché de la zone de prises ni de sa tête. Avec deux balles et deux prises au compteur, j'ai lancé une balle courbe, énorme erreur. Luke l'a frappée violemment et au moment où elle franchissait la clôture, il a recommencé son cirque. À ce moment, j'ai regretté de ne pas l'avoir visé à la tête.

J'ai retiré sur des prises les deux frappeurs suivants, j'ai concédé deux buts sur balles, puis j'ai eu de la chance avec une longue chandelle au fond du champ droit. En marchant posément vers l'abri, j'ai jeté un coup d'œil dans la direction de mon père. Ses deux bras rageusement croisés sur le torse, il secouait la tête, fronçait les sourcils et marmonnait indistinctement. Je me suis demandé si je ne ferais pas mieux de rentrer à la maison en autostop. Peut-être un coéquipier ou un des coachs accepterait de me raccompagner. Je pourrais peut-être aller vivre chez les Sabbatini et avoir une existence normale ?

Notre équipe était menée 5 à 2, et comme notre élimination se profilait, notre coach a décidé de changer de lanceur. Je voulais continuer à jouer, mais j'étais aussi soulagé de ne plus être dans la partie, d'y assister depuis notre abri, en sécurité.

Eastchester a remporté le match 11 à 2, notre saison était finie.

Ma carrière aussi. C'est la dernière fois que j'ai porté un uniforme de baseball.

Nous avons roulé sans dire un mot pendant peut-être deux minutes, jusqu'au moment où mon père, n'y tenant plus, a dit :

— C'était minable.

Ma mère aussi était sur le point d'exploser, elle a montré les dents :

— Ne commence pas, Warren. N'y pense même pas. Ferme-la et conduis.

Je ne voyais pas le visage de mon père, mais je savais qu'il était rouge de colère. Je savais que sa première impulsion serait d'arrêter la voiture, de mettre d'abord une gifle à ma mère et ensuite à moi, sur la banquette arrière. Les voitures qui nous croiseraient auraient une nouvelle fois droit au spectacle de la famille Tracey en plein drame sur l'accotement.

Mais la vérité, c'est qu'il frappait ma mère seulement lorsqu'il avait bu. Ce n'était pas une excuse, mais à mesure que les secondes passaient, je trouvais ça rassurant.

Minable, mon match ? Au cours de sa carrière, Warren avait gagné soixante et un matches et en avait perdu quatre-vingts. Tu parles d'une gloire… Et dans le genre minable, que dire de son match contre les Dodgers au mois de mai précédent, lorsqu'il avait concédé six coups de circuit dès la première manche et avait dû quitter le monticule en laissant trois buts remplis et un seul joueur retiré ? Et que dire encore de sa prestation pitoyable trois semaines plus tôt à Pittsburgh, quand dans la septième manche il avait réduit à néant une avance de cinq points tandis que les Mets faisaient s'échauffer en catastrophe un lanceur de relève ? Il ne fallait pas me pousser, je connaissais ses statistiques mieux que lui-même, mais si je l'ouvrais, ce serait ma fête.

J'ai réussi à me contenir. Lui aussi, et nous avons survécu au trajet de retour. En coupant le moteur, il m'a dit : « Viens avec moi dans le jardin, Paul, je voudrais te montrer quelque chose, j'en ai pour une minute. »

J'ai regardé ma mère en espérant qu'elle volerait à mon secours, mais elle était déjà sortie de la voiture.

La séance dans le jardin s'est tout de suite mal passée, jusqu'à en devenir violente. Après, je me suis juré de ne plus jamais jouer au baseball tant que mon père serait en vie.

Chapitre 8

Joe était rentré à Calico Rock lundi au petit matin. Il y avait de la lumière chez lui ; ses parents l'attendaient. En se garant devant la maison, il avait vu le grand panneau près de la boîte à lettres. On y voyait le dos d'un maillot des Cubs portant le numéro 15 au centre, en bleu. Il avait regardé alentour — tous les jardins de Church Street arboraient le même panneau. Plus tard, il s'apercevrait que tous les jardins de Calico Rock aussi, ainsi que toutes les vitrines de tous les magasins, bureaux, banques et cafés de la ville.

La famille de sa mère était originaire du sud de la Louisiane, et Joe avait été élevé à la cuisine cajun. Son plat préféré, c'était le riz aux haricots rouges et à l'andouille, et à trois heures du matin ce jour-là il en avait avalé une assiette pleine. Puis il avait dormi jusqu'au milieu de l'après-midi.

Charlie Castle avait huit ans de plus que Joe. Il était marié, avait deux jeunes enfants et habitait une maison flambant neuve aux abords de la ville. Mardi en fin de journée, la famille et tous leurs amis s'étaient retrouvés là-bas pour manger des hot dogs et des glaces. Mais le but véritable de la réunion était de voir Joe, de le toucher, de s'assurer qu'il existait bien et de lui faire comprendre par tous les moyens possibles combien ils étaient fiers de lui. Il ne leur avait pas compliqué la tâche. Chez lui, loin de Chicago, loin de tout le reste, les douze journées qui venaient de s'écouler avaient quelque chose d'irréel et, par moments, il avait l'air aussi surpris que ses admirateurs. Il avait signé des autographes, posé pour des photos et même embrassé des bébés. À l'intérieur, il n'y avait personne devant le match des étoiles qui passait à la télé : tout le monde était sur la pelouse.

Pendant ce bref instant, Joe leur appartenait. Le monde entier attendait Joe. La gloire lui tendait les bras, et bientôt il serait à nouveau le clou du spectacle.

J'ai regardé le match des étoiles à la maison avec ma mère. Les Sabbatini m'avaient invité chez eux, mais j'avais un œil au beurre noir et je ne voulais pas être vu. Mes parents avaient déterré la hache de guerre et mon père s'était enfui à New York, où il était sans doute en train de chercher querelle à quelqu'un dans un bar. Avant de partir, il m'avait demandé pardon, mais ça ne voulait rien dire. Je le détestais. Je pense que ma mère le détestait aussi. Quant à Jill, elle ne se faisait plus d'illusions depuis longtemps.

Le match des étoiles, qui avait lieu à Kansas City, s'était transformé en une sorte d'hommage à Willie Mays, qui avait été le plus grand joueur étoile de tous les temps. En vingt-quatre parties remarquables, il avait frappé vingt-trois coups sûrs, dont trois coups de circuit, trois triples, trois doubles et avait multiplié les actions défensives remarquables. Aujourd'hui, à quarante-deux ans, il jouait pour les Mets et prévoyait de prendre sa retraite à la fin de la saison.

De tous mes copains, j'étais le seul à avoir rencontré Willie Mays en chair et en os. Au début de la saison, les Mets avaient tenu leur traditionnelle «journée des familles» au Shea Stadium. Tout le monde ou presque y assistait. On faisait connaissance, on se prenait en photo, il y avait de la glace, des autographes, des visites organisées du stade et des vestiaires, et on revenait avec beaucoup de souvenirs. Mon père m'avait autorisé à participer à cet événement merveilleux à contrecœur. Je m'étais fait prendre en photo avec Willie Mays, Tom Seaver, Rusty Staub et la plupart des autres joueurs. Mon père avait fait réaliser pour moi de beaux tirages que j'avais ensuite collés dans mes albums. Les albums consacrés à Willie Mays et Tom Seaver, les deux seuls Mets à avoir été sélectionnés pour l'équipe des étoiles, étaient particulièrement épais.

En regardant le match à la télé, je me demandais ce qu'ils pensaient de Warren Tracey. Ils jouaient dans la même équipe mais je me disais qu'ils ne devaient pas le porter dans leur cœur. En dépit de tous mes efforts pour lui tirer les vers du nez, mon père ne disait presque jamais rien des autres joueurs. Il était copain avec un ou deux des remplaçants, et de temps à autre il racontait quelque chose de drôle qui s'était passé au siège de l'équipe ou sur la route — des histoires convenables pour mes jeunes oreilles. Le manager de l'équipe, Yogi Berra[*], en était parfois le protagoniste. Mais les grands joueurs — Tom Seaver, Willie Mays, Jerry Koosman, Rusty Staub — n'y figuraient jamais. Aujourd'hui je pense que mon père leur en voulait de leur succès.

---

[*] Lawrence Peter «Yogi» Berra est un personnage légendaire du base-ball américain. Après avoir joué dix-huit ans chez les Yankees de New York en tant que receveur, il est devenu le manager des Mets. *(N.d.T.)*

Du côté de la Ligue américaine, les fans avaient sélectionné pour l'équipe des étoiles des grands joueurs comme Brooks Robinson, Reggie Jackson et Rod Carew. Catfish Hunter avait été le premier à s'installer sur le monticule. Du côté de la Ligue nationale, il y avait trois joueurs des Reds de Cincinnati — Pete Rose, Joe Morgan et Johnny Bench — et deux des Cubs — Ron Santo et Billy Williams. Hank Aaron jouait au premier but. Cinquante-deux joueurs — un chiffre record — faisaient partie de la sélection, et j'avais la carte «Baseball Topps» de chacun d'entre eux. Je connaissais leur âge, leur lieu de naissance, leur taille, leur poids et toutes leurs statistiques. Je ne faisais pas exprès de mémoriser toutes ces informations, je les absorbais naturellement. Je vivais pour ce sport et les joueurs étaient mes idoles.

Mais le baseball, qui représentait tout pour moi, venait de me faire du mal, j'étais un garçon blessé. Tout le côté droit de mon visage était enflé et je ne pouvais pas ouvrir l'œil. J'étais ravi que mon père n'ait pas été sélectionné pour l'équipe des étoiles, autrement je n'aurais pas supporté de regarder le match. Je ne voyais pas comment il aurait pu l'être, mais avec son ego démesuré il avait pris cela pour un affront. C'était un soulagement de ne pas l'avoir à la maison.

Ma mère lisait à mes côtés sans prêter attention au match, juste pour me tenir compagnie. Lorsque mon père était parti en claquant la porte, elle m'avait assuré qu'il ne lèverait plus jamais la main sur moi. Je me suis dit qu'elle devait être sur le point de le quitter, ou qu'il allait partir, ou qu'ils allaient se mettre d'accord pour se séparer. Je l'ai raconté à Jill et, dans un premier temps, on était aux anges. Mais ensuite on a commencé à se poser des questions : où allait-on vivre ? Et lui, qu'allait-il faire ? Comment se débrouillerait notre mère sans ses revenus ? Tout cela se bousculait dans nos têtes, et les questions s'ajoutaient les unes aux autres, des questions compliquées. Je suppose que tous les gamins ont envie que leurs parents ne se séparent pas, mais les incertitudes de la vie après le divorce me semblaient largement compensées par l'idée agréable d'une vie sans mon père.

Lorsque Ron Santo, le coéquipier de Joe Castle, s'est dirigé vers la plaque au début de la deuxième manche, Gowdy et Kubek n'ont pu s'empêcher de reparler du jeune prodige. Ils avaient assisté à ses exploits au Wrigley Field, dix jours plus tôt, et se sont lancés à nouveau dans le récit de ces événements historiques tandis que Ron Santo affrontait Catfish Hunter. En onze parties et quarante présences au bâton, Joe avait frappé vingt-neuf coups sûrs dont douze coups de circuit et volé quatorze buts. Il avait aligné les coups sûrs lors de chaque partie et, surtout, les Cubs avaient gagné neuf des onze matches auxquels il avait participé, ce qui les plaçait en tête de la division Est de la Ligue nationale. Le Wrigley Field affichait complet lors de chacun des matches auxquels Joe avait pris part, et il n'y avait plus une place de libre pour toutes les parties prévues jusqu'au mois de septembre.

Kubek refaisait les calculs qui étaient sur toutes les lèvres. Les sages du baseball, dont mon père, prédisaient que les lanceurs trouveraient bientôt la faille. Joe affichait en ce moment une moyenne de 0,725, ce qui était aberrant, elle chuterait forcément au fil des matches.

Gowdy en était moins certain.

— Je n'ai pas encore remarqué de faille dans sa frappe, dit-il.

— Moi non plus, s'est empressé de confirmer Kubek.

— Il s'est fait retirer sur des prises seulement deux fois.

— Superbe équilibre, il sait se retenir — et quelle incroyable réactivité !

Ils ne faisaient même pas attention au pauvre Ron Santo, préférant narrer les exploits de son coéquipier — lequel, à cet instant précis, ne regardait pas non plus le match mais dégustait la glace à la fraise de sa tante Rachel, à Calico Rock, dans l'Arkansas.

Le championnat a repris le 26 juillet, et les Cubs ont débuté par une série de quatre matches contre la belle mécanique des Reds de Cincinnati, l'équipe dominante de la décennie. Avec des joueurs comme Pete Rose, Johnny Bench, Joe Morgan et Tony Perez, les Reds avaient raté de peu la victoire des Séries mondiales de 1972 contres les A's d'Oakland, mais ils avaient tout gagné en 1975 et 1976.

Ils menaient les Dodgers par deux matches dans la division Ouest de la Ligue nationale. Comme d'habitude une foule importante s'était déplacée, en grande partie pour voir si Joe Castle s'était calmé pendant la pause du match des étoiles.

Ce n'était pas le cas. Dès sa première présence au bâton, Joe avait marqué un coup de circuit, puis il en avait raté de peu un autre à la quatrième manche. Lors du premier match, il avait fait trois sur quatre, deux sur cinq lors du deuxième match, deux sur quatre lors du troisième et un sur trois lors du quatrième. Les équipes avaient fini à égalité. Au bout du compte, les Reds remporteraient quatre-vingt-dix-neuf matches et le championnat de la division Ouest de la Ligue nationale. Après cette série de matches, Joe était à huit sur seize, et sa moyenne avait chuté à 0,661.

Très vite on a exhumé un autre record obscur. En 1941, une recrue des Reds nommée Chuck Aleno avait fait des débuts fulgurants avec des coups sûrs pendant ses dix-sept premières parties, record qui tenait toujours en 1973. Par la suite, Aleno avait perdu de son mordant et il avait arrêté le baseball trois années plus tard après avoir joué 118 matches, avec une moyenne de 0,209. Les sages se sont empressés de prédire que c'était le sort qui attendait Joe Castle.

Le seizième match avait opposé les Cubs aux Pirates de Pittsburgh, et dès la première manche, Joe avait attaqué avec triple fracassant. La foule — on se déplaçait en masse pour voir les Cubs jouer — avait applaudi. Les fans des Pirates en avaient vu d'autres avec des figures comme Roberto Clemente, Willie Stargell et Al Oliver : le baseball, c'était leur truc. Mais ils comprenaient la portée historique de la rencontre et, même s'ils voulaient que leur équipe gagne, ils n'allaient pas snober le gamin. Le deuxième match avait duré quatorze manches. Joe avait frappé cinq coups sûrs en sept présences au bâton. Il avait égalé le record d'Aleno avec un coup de circuit, puis l'avait pulvérisé avec deux doubles lors du match suivant, son dix-huitième.

Lorsque les Cubs étaient partis de Pittsburgh pour une série de trois matches à Montréal, Joe avait joué dix-neuf matches, frappé des coups sûrs lors de chacun d'eux et affichait une arrogante moyenne de 0,601, avec quatorze coups de circuit et dix-sept buts volés. Les records continuaient de tomber : de mémoire de spécialiste, on n'avait jamais vu un démarrage aussi insensé que le sien.

Les Cubs étaient devenus l'équipe de baseball la plus intéressante du pays et menaient les Pirates dans l'est par six matches.

Ce mois d'août-là, la mine souriante de Joe Castle avait fait la couverture de *Sports Illustrated*. Le photographe avait cadré le torse, et Joe serrait fermement de ses deux mains le bâton qui reposait sur ses épaules. Ses biceps étaient légèrement fléchis : Joe dégageait une aura de puissance brute. Le titre annonçait : « Calico Joe ». Et en dessous : « Le phénomène ».

L'auteur de l'article s'était rendu à Calico Rock. Il avait interviewé la famille, les amis, les anciens coachs et coéquipiers. L'article était fouillé, équilibré, équitable et évoquait pour la première fois les origines de Joe. L'une des meilleures sources était Clarence Rook, qui couvrait les sports pour le Calico Rock Record et était l'historien officieux du baseball local.

Chapitre 9

Clarence Rook m'invite à sortir des bureaux du journal sur Main Street, et je m'exécute. Je me rends chez le glacier voisin, où je commande deux boules de glace à la vanille que je mange en écoutant les conversations et en regardant les rares piétons qui défilent sur le trottoir. Une heure passe, puis je monte dans ma voiture et prends la direction de l'ouest : je remonte jusqu'au 130 South Street, où M. Rook réside depuis quarante et un ans.

Sa maison est une vieille bâtisse victorienne avec de hautes fenêtres, bordée par une large véranda, et un toit hérissé de pignons de couleurs variées dont la tonalité générale est une sorte de jaune pastel. La pelouse et les plates-bandes sont aussi soigneusement entretenues que la maison, et pas moins bariolées. Rook m'attend sur la véranda.

— Belle maison, dis-je en franchissant la clôture blanche.

— C'est un héritage du côté de ma femme. Ravi de vous voir.

Il s'est changé, et porte une tenue décontractée : une chemise en lin blanc qui descend à mi-cuisses et un ample pantalon qui fait des plis autour de ses chevilles. Il a troqué ses chaussures de ville pour de vieilles espadrilles et tient un grand verre avec une paille à la main droite. De sa main libre, il me fait signe de le suivre : «Venez, Fay est par là.» Je lui emboîte le pas : les planches en bois craquent sous nos pieds tandis que de grands ventilateurs brassent de l'air chaud au plafond. La véranda est encombrée par toute sorte de meubles en osier blanc — chaises berçantes, tabourets, tables basses ainsi qu'un large fauteuil-balançoire recouvert de coussins.

Fay, c'est Mme Rook, un petit bout de femme pétillante avec des cheveux blancs et une grande paire de lunettes rondes de couleur orange. Elle m'accueille chaleureusement et serre ma main comme si j'étais la première personne à lui rendre visite depuis des années.

— Vous venez de Santa Fe !, s'exclame-t-elle. J'adore Santa Fe ! C'est la ville natale de la femme la plus fascinante qu'il m'a été donné de rencontrer !

— De qui voulez-vous parler ?

— Mais de Georgia O'Keeffe, voyons !

— Fay est artiste, précise M. Rook, bien que je l'aie déjà compris.

Nous nous dirigeons à présent vers l'arrière de la maison. On aperçoit au loin, en contrebas, la White River. Je me rends compte que nous venons de pénétrer dans un véritable atelier de peintre. Des chevalets un peu partout, des pots de peinture soigneusement rangés, des boîtes de pinceaux de toutes les formes. Quelques échantillons de son travail me permettent de découvrir une fascination pour les fleurs et les paysages impressionnistes.

— Vous prendrez bien quelque chose ? me demande M. Rook en se dirigeant vers un petit bar.

— Avec plaisir.

— La spécialité de la maison, c'est le gin-citron, dit-il en versant le contenu jaune pâle d'une carafe dans un verre rempli de glace.

C'est la première fois que j'entends parler d'un gin-citron, mais de toute évidence je ne vais pas pouvoir choisir un autre cocktail.

— C'est une mixture terrifiante, lance Mme Rook en levant les yeux au ciel comme si le vieux gentleman était un garnement incorrigible.

Celui-ci me tend le verre et ajoute :

— Ce n'est pas à proprement parler un gin-citron, c'est-à-dire un verre rempli de gin avec un zeste de citron, ce qui doit être terrifiant, en effet. Il s'agit de citronnade avec un petit peu de Gordon's pour rehausser le goût. À la vôtre.

Nous trinquons, et j'avale une gorgée. Pas mauvais. Nous nous dirigeons ensuite vers la véranda sur le côté de la maison et chacun se trouve une place parmi la profusion de meubles en osier. Mme Rook aime bien les couleurs vives. Une mèche mauve court parmi ses cheveux blancs, au-dessus de l'oreille gauche. Les ongles de ses orteils sont recouverts d'un vernis rose. Sa robe en coton est un patchwork de rouge et de bleu. Elle dit :

— Vous dînerez avec nous, n'est-ce pas ? Tout ce que nous mangeons provient de notre potager, tout est frais. Pas de viande. Qu'en dites-vous ?

Impossible de refuser sans manquer de courtoisie, et par ailleurs je me dis qu'il ne doit pas être facile de trouver un bon restaurant à Calico Rock. Pas plus qu'un motel, d'ailleurs.

— Puisque vous insistez, réponds-je, et elle semble trouver cela follement excitant.

— Je vais aller cueillir un potiron, annonce-t-elle en se levant d'un bond avant de disparaître.

Nous sirotons nos verres et parlons du temps qu'il fait, de la chaleur et de l'humidité, mais finissons par en venir au sujet qui nous concerne. C'est M. Rook qui ouvre le feu :

— Paul, les Castle feront tout leur possible pour protéger Joe. Prenons un exemple : si vous tombiez sur Joe par hasard — ce qui ne risque pas d'arriver parce que Joe ne vient presque jamais en ville — et que vous lui disiez bonjour, il vous tournerait le dos sans répondre. Joe ne parlera jamais à un inconnu. Ça ne se produira pas. Au fil des ans, il y a bien eu quelques journalistes qui se sont pointés en quête d'une bonne histoire. Il y a même eu un ou deux articles, il y a une éternité, mais ils n'étaient vraiment pas bienveillants.

— Comment ça ?

— Joe avait des problèmes cérébraux, Joe était handicapé, Joe était amer. Vous voyez le genre. Dès que quelqu'un se pointe en posant des questions sur Joe, la famille se méfie. Voilà pourquoi ils ne vous laisseront jamais lui parler.

— Ne pourrais-je pas parler avec ses frères ?

— Ce n'est pas moi qui vais vous dire ce que vous pouvez et ne pouvez pas faire. C'est votre problème, mais franchement, je vous le déconseille. Red et Charlie sont de braves gars, mais ils peuvent se braquer. Et s'agissant de leur petit frère, ça peut rapidement tourner au vinaigre. Comme beaucoup de gens du coin, ils possèdent des armes. Des fusils de chasse et ainsi de suite.

La gin-citron commence à faire effet, et je veux bien entendre parler de tout sauf d'armes à feu.

J'avale une longue gorgée, tout comme M. Rook, et pendant un moment le seul bruit qu'on entend est celui des pales des ventilateurs. Je finis par demander :

— Vous l'avez vu au Wrigley Field ?

Un grand sourire nostalgique illumine son visage, et il hoche la tête.

— Deux fois. Fay et moi on s'est rendus à Chicago en voiture au début du mois d'août, cet été-là. *Sports Illustrated* venait de publier le fameux article, son nom était sur toutes les lèvres.

— Comment avez-vous obtenu des billets ?

— Au noir. Par ici, tout le monde voulait assister à un match à Chicago, mais on disait qu'il n'y avait pas de billets. Joe en avait quelques-uns lors de chaque match, et on se battait pour les avoir. Un matin, je me souviens que je prenais le café sur Main Street quand Herbert Mangrum est entré. Herb avait les moyens, il avait pris l'avion pour Pittsburgh histoire de voir jouer les Cubs. Il disait avoir payé trois cents dollars pour deux places à Pittsburgh, dans la rue. Herb avait une grande gueule, il n'arrêtait pas de dire qu'il avait vu Joe à Pittsburgh.

— Vous êtes allé à Chicago sans billets ?

— Absolument. Mais j'avais un contact. On a eu de la chance, et on a pu assister à deux matches. J'ai même parlé avec Joe après le premier. Le gamin était aux anges. On était tellement fiers.

— De quels matches s'agissait-il ?

— Ceux du 9 et du 10 août, contre les Braves d'Atlanta.

— Vous avez raté le grand moment, alors, quand il s'est fait expulser, le lendemain.

Clarence Rook trempe les lèvres dans son verre, hoche la tête et me lance un regard étrange.

— Vous vous y connaissez, n'est-ce pas ?

— Oui, monsieur, on peut dire que je m'y connais.

— Arrêtez un peu le « monsieur », vous voulez bien ? Je m'appelle Clarence, et ma femme s'appelle Fay.

— D'accord, Clarence. Que voulez-vous savoir de la courte, heureuse et tragique carrière de Joe Castle ?

— Combien de matches a-t-il joué ? me demande Clarence, qui connaît la réponse.

— Trente-huit, et j'ai la carte de match pour chacun d'eux. Il en aurait joué quarante-trois s'il ne s'était pas fait expulser le 11 août.

Clarence sourit, acquiesce, avale une autre gorgée et dit :

— Vous vous trompez, Paul. Il aurait joué trois mille parties si une balle ne lui avait pas défoncé le crâne.

Il pose son verre sur la table basse, se lève et me dit :

— Attendez-moi un instant.

Il disparaît puis revient avec un carton qu'il pose au pied du canapé où il est assis. Il en extrait quatre gros classeurs à feuilles perforées en parfait état. Il les pose sur la table basse en osier et dit :

— Je vous présente le livre que je n'ai jamais écrit — l'histoire de Joe Castle. Il y a très longtemps, j'en ai rédigé un chapitre, puis je me suis arrêté. Ce n'est pas le seul projet que j'ai laissé en rade, il y en a eu beaucoup d'autres, mais je pense que grâce à mes penchants velléitaires le monde ne se porte pas plus mal.

— Comment le rédacteur en chef d'un journal peut-il être velléitaire ? Toute votre vie professionnelle n'est que délais et dates de remise.

— Précisément, comme nous passons notre journée l'œil rivé sur le calendrier, nous avons tendance à délaisser nos autres projets.

— Pourquoi n'avez-vous pas écrit ce livre ?

— En fait, c'est à cause de la famille. Un jour j'en ai parlé à Red, et ça ne lui a pas plu. Cette ville est trop petite pour qu'on puisse se permettre d'avoir des ennemis. Si la famille n'était pas disposée à m'aider, ça ne valait pas le coup.

Il feuillette les pages du deuxième classeur et trouve l'intercalaire du 11 août 1973.

— Venez là, me dit-il en m'indiquant une place à côté de lui.

J'obéis, je suis curieux de voir sa documentation.

— C'est un de mes comptes rendus préférés, dit-il en montrant l'article du *Tribune* qui raconte l'expulsion de Joe, après qu'il se soit rué vers le monticule.

Il y a une belle photo de la bagarre.

— Au début du mois d'août, les lanceurs visaient Joe de plus en plus souvent. Ça fait partie du rituel quand on est une recrue, d'autant plus si vous cassez la baraque. Mais les Cubs avaient dans leurs rangs Ferguson Jenkins et Rick Reuschel, deux malabars qui lançaient dur et étaient connus pour protéger leurs joueurs. On racontait que Jenkins, Reuschel et les autres lanceurs des Cubs avaient fait passer le message : si on touchait à Joe, il y aurait des représailles. Mais Joe n'avait besoin de personne pour le protéger. Il y avait chez les Braves un gaucher nommé Dutch Patton, un grand costaud qui faisait un mètre quatre-vingt-quinze et, dès que Joe a pris le bâton, il lui a arraché un double, puis a volé le troisième but. On était restés à Chicago avec Fay, mais je n'avais pas réussi à obtenir des billets pour le match, alors on le regardait à la télé. Lorsque Joe a repris le bâton dans la troisième manche, Patton l'a visé à la tête et a failli le toucher. L'abri des Cubs est entré en éruption, les tribunes étaient au bord de l'émeute. Joe a hurlé quelque chose à Patton et Patton lui a répondu. L'arbitre au marbre leur a ordonné de se calmer. Joe a repris position, et Patton a lancé. Au moment où il lâchait la balle, Joe a foncé vers le monticule. Il était vif, alors il a pris tout le monde de court — à commencer par Patton et son receveur, Johnny Oates. J'ai dû regarder les images de la scène des centaines de fois, c'était pas beau à voir. Patton a lancé son gant à la figure de Joe, qui a esquivé et lui a envoyé un direct du droit en pleine poire. Puis un crochet du gauche sur le nez l'a fait tomber et ensuite Joe lui a pilonné le visage à coups de poing. Patton a quitté le terrain sur un brancard, en sang. Il est resté KO six heures et a mis un mois à lancer à nouveau. Johnny Oates a réussi à maîtriser Joe, mais une quarantaine de joueurs s'étripait déjà sur le terrain. La bagarre a duré une bonne dizaine de minutes, il y a eu six ou sept expulsions. Joe a écopé d'une suspension de cinq matches — que les Cubs ont tous perdus.

Je l'écoute en feuilletant son classeur. J'ai moi-même un double de l'article du *Tribune* mais mon petit album pâlit en comparaison de ce que j'ai sous les yeux. Je connais l'histoire de la vengeance de Joe Castle et Clarence n'en a pas oublié le moindre détail.

— Moi, j'avais déjà vu Joe faire payer un lanceur, ajoute Clarence, qui fait une pause pour ménager son effet et attend que je le relance.

— Ah bon, quand ça ?

— Il avait dix-sept ans, ça s'est passé lors d'un match entre son lycée et celui de Heber Springs. Il y avait plein de chasseurs de têtes dans l'assistance, qui étaient là pour voir Joe. Dès qu'il a pris le bâton, il a expédié la balle par-dessus les lumières du champ droit. La deuxième fois, le lanceur l'a visé à la tête. Il est resté calme, et il a attendu. Quand on se rue sur le monticule, le grand risque, c'est de se faire plaquer par-derrière par le receveur. Les frères Castle maîtrisaient bien cet aspect du jeu. Joe a attendu le bon moment. Ce n'était pas beau à voir. On avait affaire à des gamins, et les bancs des tribunes ne se vidaient pas aussi vite que dans un stade…

Clarence laisse traîner la fin de sa phrase.

— Le lanceur a été blessé ?

— Disons qu'il a été hors service pendant quelques jours, peut-être quelques semaines, je ne sais plus, mais je suis sûr que ça lui a fait passer l'envie de viser la tête. Joe n'était pas du tout une brute, c'était un gars vraiment gentil. Mais il n'aimait pas se faire viser.

— Qui a mis fin à la bagarre ?

— Les arbitres. Aucun des joueurs de l'équipe adverse n'osait s'interposer.

En feuilletant le classeur, je tombe sur la couverture de *Sports Illustrated*.

— Je parie que ça a dû faire son effet, par ici.

— Oh ça, oui, mais les occasions de vibrer n'étaient pas rares, cet été là. Tout le monde voulait parler au journaliste. Laissez-moi vous resservir, Paul.

Il prend les deux verres et se dirige vers le bar, de l'autre côté de la véranda. Je le suis et en passant je jette un coup d'œil par la fenêtre de la cuisine, j'aperçois Fay en train de découper une aubergine. Quand les verres sont à nouveau pleins, Clarence bourre sa pipe et la rallume. Armés de nos gins-citron tout frais, nous nous installons sur les marches de la véranda à l'arrière de la maison et contemplons la White River. Je lui demande :

— Qui lui a donné ce surnom ?

Clarence rit doucement et avale une gorgée.

— Je crois que c'est *Sports Illustrated*. C'est par eux que j'ai entendu parler de « Calico Joe » pour la première fois, et ça lui est resté. La presse de Chicago s'en est emparée et n'est plus jamais revenue dessus. Cinquante ans plus tôt il y avait bien eu « Joe Sanschaussures », peut-être s'en souvenaient-ils ?

— C'est un surnom parfait.

— Absolument. Ou du moins ça l'était.

Nous regardons deux hommes dans un bateau qui pêchent à la ligne en se laissant dériver au fil du courant.

— Que fait Joe aujourd'hui ?

— Il s'occupe de son terrain de baseball.

— Son terrain de baseball ?

— Oui. Le « Terrain Joe Castle », près du lycée. Chaque matin, il tond la pelouse. Il enlève les mauvaises herbes, les détritus, il trace les lignes à la chaux, donne un coup de balai dans les abris, et traîne là-bas toute la journée, cinq jours par semaine. S'il neige, Joe nettoie les bancs. S'il pleut, il s'installe sous l'abri, du côté du troisième but et regarde les flaques se former. Quand il ne pleut plus, il étale la terre battue pour que la fois suivante il n'y ait pas de flaques. En ce moment, comme la saison est finie, il repeint les abris et la tribune de la presse. C'est le terrain de Joe Castle.

— Je pourrais le voir demain ?

— Je vous l'ai déjà dit, je ne suis pas son gardien. Vous faites ce que vous voulez.

— Mais vous pensez qu'il accepterait de me parler ?

— Je vous l'ai déjà dit : Joe ne parle pas avec des inconnus.

— À votre avis, il accepterait de parler avec mon père, si je venais avec lui ?

Clarence manque de s'étouffer et me jette un regard furibard, comme si je venais d'insulter sa femme.

— Vous êtes timbré ou quoi ?

— Qui sait ? Mon père est mourant, Clarence, et avant qu'il ne soit trop tard, j'aimerais qu'ils se parlent.

— Pour se dire quoi ?

— Je n'en sais rien. Enfin si, j'aimerais que mon père lui présente ses excuses.

— Vous en avez parlé avec lui ?

— Pas encore. J'ai besoin de savoir avant si Joe serait d'accord pour le rencontrer.

— Franchement, Paul, ça m'étonnerait. Ça ne serait pas une bonne idée de vous pointer en compagnie de Warren Tracey. Ça pourrait vraiment mal se passer.

Chapitre 10

Mon œil au beurre noir avait mis une semaine à se résorber, je m'étais enfermé dans ma chambre pendant tout ce temps, à lire et à me regarder dans le miroir. Par deux fois mon père était venu me voir pour tenter maladroitement d'arranger les choses, mais je l'avais ignoré. Lorsque votre père vous frappe, la douleur perdure bien plus longtemps que les bleus. Heureusement les Mets étaient partis en tournée pour un bon moment et j'étais enfin sorti de ma chambre en espérant pouvoir au moins profiter de mon dernier mois de vacances.

Le 8 août, les Mets avaient éliminé les Astros à Houston. Mon père avait lancé durant sept manches, concédé trois coups sûrs, deux buts sur balle, et gagné sa cinquième partie de la saison. J'avais écouté le match à la radio et, comme d'habitude, noté chaque lancer et action sur ma carte de match officielle des Mets. Je savais que mon père n'avait pas joué comme ça depuis des années, et lorsque Lindsey Nelson et Ralph Kiner lui ont tressé des éloges, je n'ai pu m'empêcher de ressentir tout de même un peu de fierté, même si c'était à contrecœur. J'étais sur le point de me coucher lorsqu'il m'a appelé pour parler du match. On est restés une bonne demi-heure au téléphone, il m'a raconté les moments forts et a pris le temps de répondre à mes questions. Quand il a fini par raccrocher, j'étais trop excité pour dormir. Quatre jours plus tard, il avait lancé pendant tout un match contre les Padres de San Diego, et n'avait concédé que quatre buts sur balle. C'était sa deuxième victoire d'affilée, un événement plutôt rare pour Warren Tracey. Comme il était sur la côte Ouest, il n'avait pas appelé après le match, mais dès le lendemain matin je l'avais eu au bout du fil et on avait discuté pendant une bonne heure.

Ma mère était heureuse parce que je l'étais, mais elle se méfiait aussi de son intérêt soudain pour ma personne. Mes bleus avaient disparu et les cicatrices émotionnelles s'estompaient, du moins le croyais-je.

La presse new-yorkaise se déchirait sur son cas : fallait-il simplement le retirer de la rotation ou le renvoyer carrément en ligue mineure ? Ses deux victoires consécutives obligeaient ses adversaires à mettre un peu d'eau dans leur vin, mais il n'était pas pour autant tiré d'affaire. Les Mets jouaient mieux, cependant aucune équipe ne semblait en mesure de rattraper les Cubs. L'étoile de Joe Castle brillait toujours au firmament et dès qu'il jouait à Chicago il faisait la une des journaux.

J'avais refait mes calculs des dizaines de fois : si la rotation des lanceurs et la composition des équipes restaient inchangées, si personne ne se blessait et si la météo ne s'en mêlait pas, les Cubs seraient au Shea Stadium à compter du vendredi 24 août. Joe Castle jouerait à New York pour la première fois, avec mon père sur le monticule. Selon toute vraisemblance, les

Cubs seraient toujours en tête du championnat dans l'Est et les Mets sans doute en deuxième position. Dès que j'y pensais — et j'y pensais au moins dix fois par jour —, mon estomac se nouait et je ne pouvais plus rien avaler. Warren Tracey contre Joe Castle. Mes sentiments pour mon père étaient partagés et confus. En gros, je le détestais, mais c'était mon père et il lançait pour les Mets de New York ! Combien de gamins de onze ans avaient cette chance ? On vivait sous le même toit. On avait les mêmes ancêtres, le même nom et la même adresse. Ses succès et ses échecs avaient un impact direct sur moi. J'adorais ses parents, même si je les voyais rarement. C'était mon père, nom de Dieu ! Je voulais qu'il gagne !

Mais, cet été-là, le baseball était personnifié par Joe Castle. Dès qu'il jouait quelque part, les stades affichaient complet, et les gradins étaient déjà noirs de monde pendant l'échauffement. Les journalistes ne lui laissaient pas une minute de répit et il était obligé de se cacher. Les fans l'attendaient devant les hôtels où logeaient les Cubs pour obtenir un autographe ou simplement l'apercevoir. Des jeunes femmes lui faisaient toutes sortes de propositions, et pas que de mariage. Avec l'aide de ses camarades et de ses coachs, il avait mis au point différents stratagèmes pour protéger son intimité. Dehors, c'était peut-être le délire, mais sur le terrain Joe Castle continuait de jouer au baseball comme un gamin sur un terrain vague. Il attrapait les fausses balles au vol, plongeant parmi les spectateurs, transformait les simples faciles en doubles serrés, se permettait des amortis avec deux prises au compteur, alignait les doubles jeux, attrapait la moindre chandelle qui s'aventurait de son côté, balançait des balles dans tous les recoins du terrain et en général, à la fin de la partie, c'était lui qui avait l'uniforme le plus crasseux.

À mesure qu'avançait ce mois d'août particulièrement chaud, l'idée que Joe allait affronter mon père m'obnubilait. À vrai dire, je ne pensais plus qu'à ça. J'étais harcelé par les copains qui me réclamaient des billets. Le Shea Stadium affichait déjà complet. New York attendait les Cubs.

Sa suspension pour avoir cassé la figure à Dutch Patton avait pris fin le 17 août et avec un talent indéniable pour la mise en scène, Joe avait enfin retrouvé le Wrigley Field et son public déchaîné lors d'une partie contre les Dodgers de Los Angeles. Il avait fait un simple lors de la première manche, un double dans la quatrième, un triple dans la septième et lorsqu'il s'était installé à la plaque dans la deuxième partie de la neuvième manche, il lui manquait un coup de circuit pour compléter le cycle. Les Cubs avaient besoin d'un coup de circuit pour remporter la partie. Frappant du côté droit, il avait renvoyé une balle le long de la ligne de fausses balles du champ droit et tandis qu'elle allait finir sa course contre le mur d'enceinte, les coureurs faisaient le tour du terrain. Ron Santo avait facilement égalisé en partant du deuxième but, mais lorsque Joe avait sprinté vers le troisième but il avait fait semblant de ne pas entendre les ordres du coach qui lui hurlait de s'arrêter. On n'arrêtait pas Joe Castle. L'arrêt-court, faisant le relais, s'était tourné vers le troisième but, s'attendant à y voir Joe marquer son triple facile et il avait brièvement hésité en le voyant foncer vers la plaque. Il avait lancé une balle parfaite vers Joe Ferguson, le receveur des Dodgers, qui l'avait saisie et s'était placé en travers de la plaque. Ferguson mesurait un mètre quatre-vingt-dix et pesait quatre-vingt-dix kilos, Joe un mètre quatre-vingt-dix et quatre-vingt-cinq kilos. Aucun des deux n'allait céder. Joe avait rentré la tête dans les épaules et atterri en plein dans Ferguson. Le choc avait été brutal et les deux joueurs s'étaient retrouvés au sol. Joe aurait dû se faire retirer, mais le choc avait fait lâcher la balle à Ferguson, et elle s'éloignait en roulant sur le gazon.

C'était la première fois que Joe marquait un coup de circuit sans expédier la balle en dehors du terrain. Miraculeusement Ferguson et lui s'étaient relevés sonnés, mais indemnes, et chacun s'en était allé de son côté en titubant légèrement.

Après trente et un matches, Joe avait frappé soixante-deux coups sûrs en cent dix-neuf présences au bâton, avec dix-huit coups de circuit et vingt-cinq buts volés. Il avait commis une seule erreur défensive au premier but et s'était fait retirer sur des prises six fois seulement. Sa moyenne au bâton était de 0,521, de loin la meilleure de toute la ligue majeure, mais il n'avait pas assez de présences au bâton au compteur pour entrer au classement officiel. Comme prévu, sa moyenne baissait lentement.

Ty Cobb, le plus grand frappeur de tous les temps avait une moyenne de 0,367. Celle de Ted Williams était de 0,344, quant à Joe DiMaggio, il affichait 0,325. On ne comparait pas encore Joe Castle aux très grands, mais aucune recrue n'avait jamais atteint une moyenne de 0,521 en cent dix-neuf présences au bâton.

Le 20 août, les Mets jouaient à domicile contre les Cardinals de Saint Louis, et mon père devait être le lanceur de départ. Après avoir gagné deux matches d'affilée, il avait perdu une partie sur un coup de circuit face aux Dodgers et s'était fait malmener par les Giants de San Francisco sans toutefois encaisser de défaite. Son record personnel était de six gains contre sept défaites, et il avait un bon pressentiment pour la partie qui s'annonçait. Après avoir bu son milk-shake à la banane, il m'avait demandé si ça me ferait plaisir de l'accompagner au Shea Stadium. Cela voulait dire que je pourrais traîner autour du vestiaire, dans l'abri et sur le terrain pendant un bon moment avant le début du match. J'ai bondi sur l'occasion. Il a promis à ma mère qu'il me ramènerait à la maison tout de suite après le match, ce qui voulait dire qu'il ne ferait pas la tournée des bars. À la maison, l'atmosphère s'était un peu détendue. Mes parents faisaient assaut d'amabilités l'un avec l'autre, du moins en présence de ma sœur et moi. Pour les deux gamins paumés que nous étions, cela n'aidait pas à clarifier les choses.

J'étais en train de regarder les Cardinals s'entraîner au bâton assis dans l'abri des Mets, ravi de profiter de cet instant unique, m'imprégnant de tout ce que je voyais et entendais, lorsque Willie Mays[*] a surgi et m'a lancé :

— Hé, le môme, qu'est-ce que tu fais là ?

— Mon papa va lancer aujourd'hui, ai-je répondu, totalement intimidé.

— Tracey ?

— Oui, monsieur.

---

[*] Willie Mays est l'un des plus grands joueurs de l'histoire du baseball, non seulement en raison de son palmarès exceptionnel, mais aussi à cause de sa couleur de peau. Il a été, avec Jackie Robinson, un des premiers joueurs noirs en ligue majeure et le premier à être devenu capitaine d'une équipe (les Giants de San Francisco, en 1965). (N.d.T.)

Et alors Willie Mays s'est assis à côté de moi comme s'il avait tout le temps au monde :

— Comment t'appelles-tu ?

— Paul, Paul Tracey.

— Content de te voir, Paul.

J'aurais bien voulu dire quelque chose mais, je n'arrivais pas à articuler un mot.

— Ton père lance bien en ce moment, a-t-il poursuivi. Il m'a dit que toi aussi tu étais lanceur, c'est vrai ?

— Oui, m'sieur, mais ma saison est finie. L'année prochaine, j'aurai douze ans.

Lou Brock, des Cardinals, qui s'entraînait dans la cage des frappeurs, expédiait des balles dans tous les sens. Nous l'avons regardé frapper une dizaine de fois, et ensuite Willie a échangé quelques paroles avec un joueur qui passait par là. Puis il m'a dit :

— Tu sais, je n'ai jamais voulu être lanceur. Ta réussite dépend trop des autres joueurs. Tu peux être dans une superforme sur ton monticule et boum, quelqu'un fait une erreur et tu perds le match, tu vois ce que je veux dire ?

— Oui, m'sieur.

J'aurais répondu « oui » à tout ce que disait Willie Mays.

— Ou alors tu retires vingt gars sur des prises, tu concèdes seulement deux coups sûrs et tu perds quand même un à zéro, tu me suis, Paul ?

— Oui, m'sieur.

— En plus je n'arrivais pas à bien viser la zone de prises, ce n'est pas vraiment top quand tu veux être lanceur.

— Ça m'arrive aussi, ai-je répondu, et Willie Mays a ri à gorge déployée.

Il m'a donné une tape sur le genou et m'a dit :

— Bonne chance, Paul !

— Merci, m'sieur Mays !

Il s'est levé d'un bond et s'est mis à invectiver les Cardinals. J'ai regardé mon genou pendant un bon bout de temps et me suis juré de ne plus jamais laver cette paire de jeans. Quelques minutes plus tard, Wayne Garrett et Ed Kranepool se sont assis pas loin de moi pour observer l'échauffement des Cardinals. J'ai tendu l'oreille pour entendre ce qu'ils disaient.

— T'as entendu ce que Castle a fait aujourd'hui ? a demandé Garrett en mâchouillant son chewing-gum.

— Non, a répondu Kranepool.

— Quatre coups sûrs dont deux doubles en quatre présences au bâton, face à Don Sutton.

— Face à Sutton ? a répété Kranepool, incrédule.

— Ouaip. Et on disait que le gamin était en train de se calmer.

— Ça ne m'en a pas l'air. Ça va être la folie, ici, ce week-end. Il te reste des billets ?

— Tu veux rire ou quoi ?

J'étais assis à huit rangées du terrain, pas loin de l'abri des Mets. Mon père a concédé un coup de circuit à Joe Torre lors de la première manche, puis il s'est ressaisi et a bien joué. Au début de la septième manche, il n'avait plus de jus et comme les Mets menaient 5 à 2, Yogi Berra lui a fait signe de rentrer. La foule lui a accordé une ovation impressionnante. Je m'étais mis debout, j'applaudissais et je hurlais à tout rompre. Il a levé sa casquette dans ma direction, et alors j'ai compris à quel point je désirais l'admirer.

Il avait gagné sept parties et en avait perdu sept. La prochaine fois qu'il serait lanceur de départ, ce serait contre les Cubs.

Chapitre 11

Après deux gins-citron, je commence à le sentir, et je décide que j'ai assez bu comme ça. L'alcool ne semble avoir aucun effet sur Clarence, et lorsqu'il se sert un troisième verre, je décline poliment et demande un verre d'eau. Fay s'agite entre la cuisine et la véranda où elle est en train de mettre la table. Les derniers rayons du soleil couchant illuminent la White River. Clarence et moi sommes assis sous un érable près du potager : il me parle de la famille Castle.

Le grand-père Castle, Vick, avait été recruté par les Indians de Cleveland en 1906 et cinq ans plus tard il était passé en ligue majeure. Il avait tenu à peine un mois, dix matches, et était redescendu en ligue mineure. À la fin de la saison on l'avait échangé, puis il s'était cassé la cheville et sa carrière avait pris fin. Il était rentré à Izzard County et y avait dirigé une scierie avant de mourir prématurément à l'âge de quarante-quatre ans. Bobby, son fils unique, le père de Joe, avait été recruté par Pittsburgh en 1938, et en 1941 il affichait les meilleures statistiques de la ligue AAA tant au bâton qu'en nombre de points mérités.

En 1942, il aurait dû jouer au troisième but pour les Pirates mais la guerre en avait décidé autrement. Il avait été enrôlé dans la marine et envoyé dans le Pacifique, où il avait perdu la moitié d'une jambe en marchant sur une mine.

Son fils aîné, Charlie, avait signé chez les Senators de Washington en sortant du lycée et avait fait le tour des ligues mineures pendant six ans avant d'arrêter. Red, le cadet, avait signé avec les Phillies en 1966 mais n'avait jamais réussi à monter plus haut que la ligue A. Il s'était engagé dans les Marines et avait fait deux tours de service au Viêtnam.

Clarence prend plaisir à raconter cette histoire, et il n'a pas besoin de notes. Je suis impressionné par sa connaissance des détails, mais je serais bien incapable de dire si ce qu'il me raconte est vrai. Quelque chose dans ses yeux pétillants et ses sourcils broussailleux me laisse penser que le bonhomme ne déteste pas enjoliver une histoire. Si c'est le cas, ça m'est bien égal : il adore raconter des anecdotes, et de toute évidence la famille Castle est un de ses sujets de prédilection. Je suis ravi de lui servir de public.

— Même du temps de Red et Charlie, on parlait déjà de Joe. Alors qu'il n'était qu'un gamin — il avait au plus dix ou onze ans —, il avait marqué quatre coups de circuit dans un match contre Mountain Home. C'était la première fois qu'on parlait de lui dans le journal. J'ai retrouvé l'article dans les archives. En 1973, on n'arrêtait pas de me poser des questions sur Joe Castle. J'ai passé la moitié de l'été dans les archives. À douze ans, il avait permis à l'équipe des étoiles de Little Rock de décrocher une troisième place en finale, et j'avais publié un grand article en une, avec photo. À treize ans, il avait passé l'été à jouer avec les grands. Joe était au premier but, Red au deuxième, les troisième et quatrième dans l'alignement des frappeurs. Ils ont joué une centaine de matches. C'est à ce moment-là qu'on a compris que Joe n'était pas comme les autres. Dès qu'il a eu quinze ans, on a vu se pointer les premiers chasseurs de têtes. Charlie jouait dans les ligues mineures. Red aussi. Mais on ne parlait que de Joe. J'ai couvert une finale d'État en mai 1968, du côté de Searcy, au cours de laquelle Joe a envoyé la balle à cent trente mètres, sur le toit d'un bus, dans le parking. Vous voyez ce que je veux dire ? Un gamin de seize ans qui marque un coup de circuit de cent trente mètres, on ne voit pas ça tous les jours. Et à l'époque il n'y avait pas de bâton en aluminium ! Les chasseurs de tête avaient la bave aux lèvres, ils secouaient la tête, incrédules. Sidérant.

— Clarence, le dîner est servi ! crie Fay depuis la véranda, et nous ne lambinons pas.

Le sandwich de porc grillé n'est plus qu'un lointain souvenir. Fay a dressé une belle petite table circulaire sous les pales d'un ventilateur, avec au centre un vase de fleurs fraîchement coupées. Il y a un grand saladier de tomates, concombres et oignons et un autre de potiron et d'aubergines grillées, le tout accompagné de riz. Elle dit, en montrant la nourriture de la main :

— Il y a deux heures, tout ça était encore dans le potager.

Nous nous passons les plats et commençons à manger. Je me dis que je devrais poser quelques questions à Fay sur ses tableaux mais finalement je n'en fais rien. Je ne reviendrai sans doute jamais ici et je préfère parler de Joe Castle. Après avoir répondu à quelques questions sur ma femme, mes enfants et mon travail, je remets la conversation sur les rails qui m'intéressent. Je demande :

— Comment ça s'est passé, son recrutement en 1973 ?

Clarence finit de mâcher, avale, boit une gorgée d'eau et dit :

— Pas du tout comme prévu. Tout le monde pensait qu'il serait le premier à être pris, puisque c'est ce que les chasseurs de têtes répétaient depuis deux ans.

— On pensait tous qu'il allait devenir riche, ajoute Fay.

— À l'époque, quand on faisait partie du premier choix, on pouvait espérer toucher dans les cent mille dollars. Au cas où vous ne l'auriez pas remarqué, Calico Rock est un tout petit patelin. Chacun se demandait ce que Joe allait faire de cette somme. Mais ça ne s'est pas passé comme ça. Vers la fin du mois de mai, au moment des finales du championnat de l'État, à Jonesboro, Joe a mal joué pendant deux matches. C'était la première fois que ça lui arrivait, pas un match de raté en dix ans et boum, deux de suite. Du coup, les chasseurs de tête ont eu des doutes et Joe a été choisi par les Cubs pour le deuxième échelon, il a touché cinquante mille dollars et il est parti.

— Et l'argent ? Il en a fait quoi, finalement ?

— Il a donné cinq mille dollars à son église, dit Fay, et cinq mille au lycée, c'est bien ça, Clarence ?

— Oui, je crois bien. Il a aussi donné cinq mille dollars pour le terrain où il avait joué tant de fois. On dit qu'il a soldé l'emprunt de la maison de ses parents, qui n'était pas trop important.

— Il ne s'est pas payé une décapotable ?

— Oh que non ! Il a racheté le pick-up Ford de Hank Thatcher pour deux mille dollars. Hank venait de mourir, et sa femme avait décidé de le vendre, elle voulait s'en débarrasser. Alors Joe l'a acheté.

Et voilà pourquoi je n'aimerais pas vivre dans une petite ville comme Calico Rock. Dans une grande ville, personne ne mentionnerait tous ces détails, parce que personne ne serait au courant.

Je ne sais plus quand j'ai mangé pour la dernière fois des légumes aussi frais que ceux de Fay. Sara cuisine très sainement, mais je n'ai jamais goûté des aubergines ou du potiron comme ceux-ci. Je répète, pour la troisième ou quatrième fois :

C'est délicieux.

— Merci ! répond chaleureusement Fay.

Je remarque qu'elle ne mange pas beaucoup.

Pendant le repas, Clarence boit de l'eau, mais le gin-citron n'est pas bien loin. Deux bateaux de pêcheurs glissent sur la rivière en direction de l'embarcadère, sous le pont, au loin. Il est brièvement question de la sœur de Fay, qui se meurt d'un cancer dans le Missouri et leur a demandé de lui rendre visite le week-end prochain. Le cancer nous ramène à mon père.

— Quand a-t-il été diagnostiqué ? me demande Fay.

— La semaine dernière. Il est en phase terminale, il ne lui reste pas beaucoup de temps, quelques semaines, au plus quelques mois.

— J'en suis vraiment désolée, dit-elle.

— Vous vous êtes parlé ? demande Clarence.

— Non, je compte le voir demain. Comme je vous l'ai dit, nous ne sommes pas proches, carrément pas. Nous ne l'avons jamais été. Il nous a quittés quand sa carrière est partie en vrille, et il s'est remarié. Ce n'est pas quelqu'un de bien, Clarence, ce n'est pas le genre de personne avec qui vous aimeriez boire un verre en discutant.

— Je veux bien le croire. Il y a quelques années, j'ai lu un article sur lui. Après le baseball, il a essayé le golf mais ça n'a pas marché, c'est ça ? J'ai cru comprendre qu'il était dans l'immobilier du côté d'Orlando, mais que ça ne marchait pas fort. Il n'arrêtait pas de répéter qu'il n'avait pas fait exprès pour Joe, mais l'auteur de l'article ne le croyait pas. J'ai l'impression que personne ne l'a jamais cru.

— Et pour cause, ajoutais-je.

— Pourquoi dites-vous ça ?

Je m'essuie les lèvres avec ma serviette.

— Parce qu'il l'a fait exprès, je le sais. Il prétend que non depuis trente ans, mais moi je connais la vérité.

S'ensuit un long silence meublé par le ronronnement du ventilateur au-dessus de nos têtes. Finalement, Clarence opte pour son verre de gin-citron et en avale une rasade. Il se lèche les lèvres, les fait claquer et dit :

— Vous n'imaginez pas l'excitation qui régnait ici. Vous ne pouvez pas comprendre ce que cela représentait pour Calico Rock, pour sa famille. Après avoir fourni tellement de bons joueurs, la famille Castle atteignait le sommet, enfin.

— J'aimerais pouvoir m'excuser.

— Vous ne le pouvez pas. En plus, ça s'est passé il y a trente ans.

— Une éternité, dit Fay en contemplant la rivière. Mais on ne pourra jamais oublier.

— Vous n'étiez pas présent je suppose ?, me demande Clarence.

— Détrompez-vous, j'étais là. Le 24 août 1973, j'étais au Shea Stadium.

Chapitre 12

En quittant la maison, mon père était d'une humeur massacrante. Je lui avais glissé que j'aurais bien aimé l'accompagner, mais il ne m'écoutait pas. La presse new-yorkaise faisait tout un foin autour du match et un des journalistes les plus remontés contre mon père avait écrit que ce serait « le duel de l'âge et de la jeunesse. Warren Tracey, trente-quatre ans, sur le déclin, contre Joe Castle, l'étoile la plus brillante au firmament du baseball depuis Mickey Mantle, en 1951 ».

Jill était en colonie de vacances. J'avais persuadé ma mère de partir tôt pour la ville, je voulais assister à l'échauffement et surtout voir Joe Castle. Nous sommes sortis du métro à seize heures trente, deux heures et demie avant le premier lancer, et devant le Shea Stadium l'ambiance était déjà électrique. J'étais surpris de voir tant de fans des Cubs, la plupart arborant un maillot blanc avec le numéro 15. C'était pour la plupart des gens paisibles, mais il y avait aussi des bandes de jeunes qui hurlaient, buvaient de la bière et voulaient en découdre. Ça n'a pas tardé, d'ailleurs. Les fans new-yorkais ne sont pas des mauviettes et un défi ne leur a jamais fait peur. On avait à peine franchi le tourniquet que la police avait déjà dispersé trois bagarres. Ma mère a dit: «Quelle honte!» C'était la dernière fois qu'elle viendrait au stade.

Le Shea Stadium pouvait accueillir cinquante-cinq mille spectateurs et il était déjà rempli aux deux tiers lorsque nous nous sommes installés à nos places. Les Cubs s'échauffaient, et les joueurs se pressaient autour de la cage, près de la plaque. Ron Santo, Billy Williams, Jose Cardenal et Rick Monday étaient là, et ils ont pris le bâton à tour de rôle. J'ai scruté le champ extérieur et j'ai vu Joe Castle. Il venait de se retourner pour courir après une chandelle, et j'ai vu son nom sur son maillot bleu. Il a attrapé la balle près de la ligne de fausses balles, et mille gamins lui avaient réclamé un autographe en hurlant. Il a souri et leur a fait signe de la main, puis il s'est dirigé vers quelques membres de l'équipe des Cubs qui traînaient dans le champ centre et devaient échanger leurs opinions sur les filles présentes.

À cette époque, j'avais déjà lu beaucoup de descriptions de Joe Castle. Au lycée, certains chasseurs de tête l'avaient trouvé trop maigre. Ses soixante-dix-sept kilos à dix-huit ans semblaient avoir dérangé quelques experts. Selon la presse, son père leur aurait répondu: «Il n'a même pas de poil au menton. Laissez-le donc grandir.» Et il avait raison. Dans les ligues mineures, Joe s'était épaissi, naturellement et aussi parce qu'il passait des heures à soulever des poids. Il avait une belle carrure, avec quatre-vingt-trois centimètres de tour de taille. Ses pantalons d'uniforme serraient bien ses jambes et le *Tribune* avait rapporté la rumeur selon laquelle il recevait des lettres de femmes des quatre coins du pays.

Je le regardais évoluer sur le champ extérieur tandis que les bâtons craquaient et les balles volaient dans tous les sens. J'ai aperçu mon père dans l'abri des Mets, seul, en plein rituel d'avant match. C'était encore trop tôt pour commencer ses étirements dans l'aire d'échauffement. J'ai été surpris de le voir dans l'abri. D'habitude, deux heures avant le début du match, il se faisait masser dans le vestiaire. Quatre-vingt-dix minutes avant, il enfilait son uniforme. Soixante-quinze minutes avant, il sortait du vestiaire, traversait l'abri et se dirigeait vers l'aire d'échauffement, tête baissée, sans un regard pour l'équipe adverse. Plus j'y pensais, plus je trouvais cela étrange. Les joueurs de baseball, surtout les lanceurs, sont des maniaques. Mon père avait une fiche de trois victoires et une défaite lors de ses six derniers départs, et quatre jours plus tôt il avait sans doute joué une des meilleures parties de sa carrière. Pourquoi ce changement ?

Ma mère m'a acheté un programme et une glace, et j'ai discuté un peu avec d'autres fans. Joe a fini par se diriger vers l'abri des Cubs, en face de là où on était assis. Il a récupéré ses bâtons, mis son casque et commencé à se préparer, tout en se rapprochant de la cage des frappeurs. Quand son tour est venu, il s'est installé, a fait quelques amortis, puis s'est mis à expédier des balles dans tous les coins. Les gens se sont rapprochés. Les photographes mitraillaient à tout va. Lors de son deuxième passage, il est monté en puissance et a envoyé les balles de plus en plus loin. Lors de son troisième passage, il s'est lâché et a expédié cinq boulets de canon dans les tribunes, où des centaines de gamins se battaient pour récupérer des souvenirs. Les fans des Cubs poussaient des cris chaque fois qu'il frappait une balle et j'aurais bien hurlé avec eux, mais j'étais avec les supporters des Mets — et mon père était leur lanceur, ça n'aurait pas été correct.

Au début de la première manche, Warren s'est dirigé vers le monticule et les fans lui ont réservé un accueil chaleureux. Il n'y avait plus une place de libre, et depuis une heure les supporters des Cubs et des Mets échangeaient des invectives. Lorsque Rick Monday a envoyé la balle directement dans le gant de l'arrêt-court au premier lancer, le stade s'est enflammé. Deux lancers plus tard, Glenn Beckert sortait la balle du côté du champ droit. La partie semblait bien engagée pour Warren Tracey.

Les haut-parleurs ont annoncé :

— Au bâton et jouant au premier but, Joe Castle, numéro 15.

J'ai respiré un grand coup et me suis mis à me ronger les ongles. Je voulais voir mais je voulais aussi fermer les yeux et juste écouter. Ma mère m'a donné une petite tape de réconfort sur le genou. J'enviais son indifférence. En ce moment crucial de ma vie, de la vie de son mari, de la vie d'innombrables supporters des Cubs et des Mets à travers tout le pays, à en ce moment exceptionnel, chargé d'émotion, de l'histoire du baseball, ma mère semblait se moquer éperdument de ce qui se passait sur le terrain.

Comme on aurait pu le prévoir, la première balle était haute et avait failli frôler Joe, qui s'était placé du côté gauche. Il l'avait esquivée, sans tomber. Et il n'avait pas lancé un regard furieux à mon père. C'était juste un petit cadeau de bienvenue à New York. L'arbitre a déclaré que la deuxième balle était une prise alors qu'elle avait l'air bien basse. Le troisième lancer était une balle rapide que Joe a renvoyée en fausse balle de notre côté, dans les tribunes. La quatrième balle était basse et à l'intérieur. Le cinquième lancer était un changement de vitesse qui a failli tromper Joe, mais il avait réussi à la sortir en fausse balle.

Je retenais mon souffle à chaque lancer. Je priais pour un retrait sur des prises et, dans le même temps, pour un coup de circuit. Pourquoi pas les deux ? D'abord un retrait sur des prises pour mon père, puis, plus tard, un circuit pour Joe ? Ne disait-on pas qu'au baseball on avait toujours une deuxième chance ? Je me rongeais les sangs entre chaque lancer, la tête entre les mains, j'étais totalement à cran.

Le sixième lancer était une balle courbe qui a fini dans la poussière. Trois balles, deux prises. Billy Williams était déjà en train de se préparer. Le Shea Stadium frémissait. Les Cubs en tête du classement avec dix matches. Les Mets, juste derrière eux, avec dix matches également, mais prêts à prendre le dessus. Mon père contre mon héros.

Joe a sorti les huit lancers suivants en fausses balles, et l'affrontement a pris une ampleur dramatique, chacun des joueurs refusant de céder d'un pouce. Warren Tracey n'allait pas laisser Joe Castle marcher jusqu'au premier but. Joe Castle refusait de se faire retirer sur des prises. Le quinzième lancer était une balle rapide qui avait l'air basse, mais à la dernière seconde Joe l'a frappée de plein fouet et expédiée vers le champ extérieur où elle a franchi le mur d'enceinte à une bonne dizaine de mètres de hauteur. Je ne sais pas pourquoi, mais lorsque j'ai compris qu'on ne reverrait pas la balle j'ai tourné mon regard vers le monticule pour observer mon père. Il suivait Joe du regard tandis que celui-ci dépassait le premier but, et lorsque la balle est sortie du stade, Joe a donné un petit coup de poing en l'air, comme pour dire «Bien joué!» Ce n'était pas de la frime, ça n'avait rien d'arrogant, ça ne visait pas le lanceur.

Mais je connaissais mon père, et je savais que ça ne sentait pas bon.

C'était son vingt et unième coup de circuit en trente-huit matches. Ce serait aussi le dernier.

Lorsque Joe s'est dirigé à nouveau vers la plaque dans la troisième manche, les deux équipes étaient à égalité, un partout, avec deux retraits et tous les buts vides. Le premier lancer était une balle rapide à l'extérieur, et j'ai aussitôt su ce qui allait se passer. La deuxième balle était aussi puissante que la première, à cinquante centimètres de la plaque. Je voulais me lever pour crier: «Fais gaffe, Joe!» mais j'étais cloué sur place. Mon père, sur le monticule, a regardé Jerry Grote, le receveur, et mon cœur s'est arrêté de battre. J'ai cessé de respirer, mais j'ai réussi à dire à ma mère: «Il va lui lancer dessus.»

La balle est partie et pendant une fraction de seconde épouvantable, interminable, que les fans et les journalistes discuteraient et analyseraient sans fin par la suite, durant des dizaines d'années, Joe n'a pas réagi. Il avait perdu la balle de vue. Pour une raison que personne, et surtout pas Joe, ne s'expliquerait jamais, il avait tout simplement perdu la balle des yeux. Joe avait dit qu'il préférait frapper du côté gauche parce qu'il avait l'impression que son œil gauche comprenait plus vite ce qui se passait, mais pendant ce quart de seconde crucial, son œil gauche lui a fait défaut. Peut-être a-t-il été distrait par quelque chose derrière le mur d'enceinte, au fond du terrain? Peut-être est-ce la lumière qui a subitement changé? Quelque part entre le maillot blanc de mon père et la plaque, Joe a perdu la balle de vue, peut-être parce que Felix Millan, l'homme de deuxième but a bougé. On ne le saurait jamais, parce que Joe serait incapable de s'en souvenir.

Le son produit par une balle de baseball sur un casque en plastique renforcé a quelque chose de particulier. Je l'avais déjà entendu plusieurs fois, à commencer par le jour où j'avais touché un frappeur sans faire exprès. Je l'avais entendu un mois plus tôt au Shea Stadium, le jour où Bud Harrelson avait été touché à la tête. Je l'avais aussi entendu l'été précédent au cours d'un match de ligue mineure que le père de Tom Sabbatini nous avait emmenés voir. Ce n'est pas un craquement, cela ressemble plutôt au bruit que fait un corps mou en s'écrasant sur une surface dure. C'est un bruit terrifiant, mais il semble indiquer que le casque a permis d'éviter le pire.

Or ce n'est pas ce bruit-là qui a résonné dans le stade, mais celui, écœurant, des os et de la chair de Joe Castle broyés par une balle. Pour nous qui étions assez près pour l'entendre, c'est un bruit que nous n'oublierions jamais.

Et je ne l'ai jamais oublié, je l'entends encore aujourd'hui.

La balle a touché Joe juste au-dessus de l'œil droit. Elle lui a arraché son casque et l'a fait tomber à la renverse. Il a tenté d'amortir sa chute avec ses mains et est resté ainsi suspendu une seconde, avant de s'évanouir.

Dans mon esprit, la suite est une succession chaotique d'images. Le stade était sous le choc. Il y a eu des cris étouffés et des «oh, mon Dieu!» L'arbitre a appelé les secours en agitant les bras. Jerry Grote, le receveur, était penché sur Joe. Le banc des Cubs s'était levé comme un seul homme, plusieurs joueurs étaient sortis de l'abri et insultaient Warren Tracey. Les fans des Cubs le huaient copieusement. Les fans des Mets étaient silencieux. Mon père s'est lentement dirigé de l'autre côté du monticule, a enlevé son gant, mis ses mains sur les hanches et regardé ce qui se passait du côté de la plaque. Je le détestais.

Les soigneurs s'activaient autour de Joe, et pendant que tout le monde attendait, j'ai fermé les yeux et prié pour que Joe se relève, qu'il essuie son uniforme et se dirige en trottinant paisiblement vers le premier but — avant de se raviser, de se précipiter vers le monticule et de casser la gueule à mon père, comme pour Dutch Patton. Ma mère regardait le terrain, hébétée, puis s'est tournée vers moi. Mes yeux étaient remplis de larmes.

Les minutes passaient et Joe ne se relevait toujours pas. On voyait ses chaussures et ses jambes, et à un moment ses pieds ont gigoté comme s'il était pris de convulsions. Les fans des Cubs ont commencé à jeter des objets sur le terrain, et des gardes ont fait leur apparition. Jerry Grote a rejoint son lanceur derrière le monticule et est resté à ses côtés. Je regardais mon père fixement et à un moment j'ai vu quelque chose qui ne m'a pas du tout surpris. Alors que Joe allongé sur le dos, inconscient, gravement blessé, était pris de convulsions, mon père a souri.

Un portail s'est ouvert à droite du terrain et une ambulance a surgi. Elle s'est arrêtée à côté de la plaque, un brancard a fait son apparition et subitement les docteurs, les soigneurs et les entraîneurs se sont agités dans tous les sens. De toute évidence, l'état de Joe empirait. On l'a rapidement embarqué et l'ambulance est partie à toute allure. Cinquante-cinq mille spectateurs se sont levés pour applaudir Joe, mais il ne pouvait pas les entendre.

Pendant l'arrêt de jeu, les Cubs avaient eu le temps de fourbir leurs armes. Warren Tracey s'étant fait retirer sur des prises dans la deuxième manche, il ne reprendrait pas le bâton avant la cinquième. Ferguson Jenkins serait sur le monticule, et personne au monde ne doutait un instant que mon père allait s'en prendre une à la tête. Les représailles seraient brutales, et aussi douloureuses que possible. Mais pour couper court à tout projet de vengeance, Yogi Berra pouvait décider de remplacer Tracey. Les Cubs pourraient alors chercher à se venger dès la troisième manche en provoquant un ou deux joueurs des Mets. Cela déclencherait probablement une bagarre généralisée, ce qui aurait ravi les Cubs dont le joueur vedette venait d'être emporté par une ambulance. Mais la cible de leur vindicte serait dans l'abri, loin des coups. Les Cubs voulaient la peau de Warren Tracey et Whitey Lockman, leur manager, a fini par trouver la solution idéale. Pour remplacer Joe en première base, il a désigné un certain Razor Ruffin, un dur à cuire sorti des ghettos de Memphis grâce au football et au baseball qu'il avait pratiqués à l'université du Michigan. C'était une vraie armoire à glace, vif comme une gazelle, mais il avait du mal avec les lanceurs gauchers, ce dont les Cubs étaient en train de se rendre compte. Ruffin a donc marché jusqu'au premier but à la place de Joe.

L'arrêt de jeu avait duré une trentaine de minutes, et lorsque l'ambulance est enfin partie, l'arbitre a autorisé Warren Tracey à faire quelques lancers d'échauffement. Le stade était encore sous le choc. Les fans des Mets n'étaient pas à l'aise, et ceux des Cubs étaient silencieux après avoir hurlé et hué à tue-tête. Billy Williams s'est installé à la plaque, côté gauche. Il ferait un jour partie du Temple de la renommée du baseball, c'était un type relax, mais à cet instant, la moindre balle un poil trop près de sa tête déclencherait une réaction. Razor Ruffin s'est éloigné un peu du but, mais pas trop. Il était là pour en découdre, pas pour voler le deuxième but. Les deux premiers lancers de Tracey étaient franchement à l'extérieur. Il n'arrivait plus à lancer convenablement. Avec deux fausses balles et deux prises, Williams a renvoyé une chandelle vers le champ centre, ce qui a facilité les choses. Lorsqu'il a été clair que la balle serait saisie à la volée par Don Hahn, Razor Ruffin s'est précipité vers le monticule. Warren Tracey suivait la chandelle des yeux lorsque Ruffin lui est rentré dedans par-derrière et l'a traîné presque jusqu'au troisième but. Ensuite, Ruffin s'est acharné sur lui avec ses deux poings. Les Cubs, qui étaient évidemment au courant du plan, ont lancé une attaque en règle qui a submergé mon père et Jerry Grote. Les autres Mets n'étaient pas loin, et en quelques secondes l'une des bagarres les plus terribles de l'histoire du baseball avait démarré. De vieux comptes se sont réglés à mains nues. Dans un grand empilement de corps, une quarantaine de sportifs de haut niveau faisaient de leur mieux pour s'étriper à coups de poing et de pied. En bas de la pile, Ruffin et Tracey essayaient encore de s'étrangler, de s'éborgner, de faire couler le sang par tous les moyens. Malgré leurs efforts, les arbitres n'arrivaient pas à séparer les équipes. Les vigiles sont entrés sur le terrain. En temps normal, les coachs auraient essayé d'arrêter leurs joueurs, mais cette bagarre, c'était différent. Rapidement, les fans s'y sont mis aussi et le Shea Stadium était bientôt en proie à une quasi-émeute. Le chaos a régné jusqu'au moment où quelques vétérans des deux équipes, Ron Santo, Rusty Staub, Billy Williams et Tom Seaver ont réussi à calmer leurs coéquipiers. On a dégagé l'empilement de corps et à la fin Warren Tracey s'est levé d'un bond, le nez en sang, et a pointé du doigt les joueurs des Cubs. Les arbitres l'ont sorti du match et deux de ses coéquipiers l'ont tiré vers l'abri. Warren hurlait et jurait, tout ensanglanté, pendant qu'on le traînait vers les vestiaires. Le calme est enfin revenu, et les deux managers ont été expulsés en même temps que Tracey, Ruffin et six autres joueurs.

Lorsque la partie a fini par reprendre, j'étais totalement sonné. Je venais de vivre un cauchemar — l'horrible balle qui avait atteint Joe Castle, suivie du passage à tabac de mon père par l'équipe adverse. Ma mère aussi était écœurée.

— J'aimerais bien partir, m'a-t-elle glissé à l'oreille.

— Moi aussi, lui ai-je répondu.

Nous n'avons pas échangé un mot pendant le trajet de retour. Je me suis enfermé dans ma chambre et me suis couché. Je n'ai pas allumé la télévision, alors que j'aurais tout donné pour savoir comment allait Joe. Je ne voulais pas m'endormir : si mon père décidait de rentrer à la maison ce soir-là, je devais être réveillé. Je ne pensais pas qu'il rentrerait, et j'avais raison. Peu avant minuit, la sonnerie du téléphone a retenti et ma mère a décroché. Une voix d'homme a menacé de tuer Warren Tracey et de brûler notre maison au passage. Ma mère a appelé la police et à deux heures du matin, nous nous sommes retrouvés autour de la table de la cuisine avec un agent.

C'était la première de toute une série de menaces. Pendant les mois suivants, nous avons vécu dans la crainte et, bien sûr, mon père n'était pas souvent là pour nous protéger.

J'avais onze ans, et je voulais changer de nom.

Chapitre 13

Les moustiques nous attaquent en piqué et nous battons en retraite. Dans la bibliothèque, Fay nous sert des fraises à la crème et une tisane au goût étrange. Les murs sont tapissés de livres du sol au plafond et ils s'empilent aussi autour d'un vieux bureau. En fait, la maison est envahie par les livres, la plupart prennent la poussière sur des étagères qui ploient sous leur poids, comme chez un bouquiniste. Les Rook sont de grands lecteurs et ils ont de la conversation. J'ai suffisamment parlé, maintenant c'est leur tour.

— On écoutait le match à la radio sur la véranda, n'est-ce pas, Fay? demande Clarence.

— Oui, sur la véranda de devant. Je ne l'oublierai jamais.

À mesure que la soirée avance, je me rends compte que Fay est aussi experte que Clarence en matière de baseball.

— C'était tellement triste! dit-elle.

— Vince Lloyd et Lou Boudreau ont tout de suite compris que Joe ne se relèverait pas. Lou a dit que Warren l'avait visé à la tête pour lui faire payer son coup de circuit de la première manche. On a attendu et attendu, tandis qu'ils faisaient du remplissage. En 1972, Warren Tracey détenait le record du nombre de frappeurs touchés par une de ses balles, puis en 1973, quelqu'un d'autre était arrivé à égalité avec lui. Entre autres gracieusetés, Lou a dit que c'était un tueur à gages. Lloyd et lui avaient tous les deux vu que Joe n'avait pas bougé quand la balle était partie. À leur ton de voix, on comprenait que la situation était grave.

— Joe n'a jamais raconté ce qui s'était passé ? Pas forcément en public, mais devant ses amis, ses frères ?

— Pas que je sache, répond Clarence. Des années plus tard, un journaliste de Little Rock a débarqué — il travaillait pour le *Democrat* ou pour la *Gazette*, Fay, tu te souviens ?

— Je crois bien que c'était la *Gazette*, dit-elle. Tu l'as noté quelque part.

— En tout cas, ce type a réussi à interviewer Charlie et Red. Il leur a demandé comment allait Joe, et ainsi de suite. Il leur a aussi demandé ce qu'il disait de l'incident, et ils lui ont répondu qu'il ne se souvenait de rien, tout simplement. C'est la seule fois à ma connaissance que la famille a parlé de l'affaire. C'était il y a plus de vingt ans.

— Il a des lésions au cerveau ?

Clarence et Fay échangent un regard, et je comprends qu'ils préfèrent ne pas parler de certaines choses en ma présence.

— Je ne le pense pas, finit par répondre Clarence. Mais il ne fonctionne pas à cent pour cent de ses capacités.

Fay ajoute :

— Clarence est l'une des rares personnes avec qui Joe accepte de parler. Pas comme dans une vraie discussion, mais il apprécie Clarence depuis toujours et accepte sa présence.

— À part sa mère, je ne suis pas sûr que quelqu'un sache ce qui se passe vraiment dans sa tête, ajoute Clarence.

— Il vit toujours chez elle ?

— Oui, c'est à deux pas d'ici.

Il est presque dix heures, et Fay a envie d'aller se coucher. Elle débarrasse la table, m'explique où se trouve la chambre d'amis, et me souhaite une bonne nuit. Dès qu'elle est partie, Clarence dit :

— Je prendrais bien un petit digestif, pas vous ?

De toute évidence, Clarence supporte bien l'alcool. Il n'a pas terminé son troisième gin-citron et tient toujours droit sur ses jambes. Pour ma part, j'ai pris ma dernière gorgée de gin citron — sans doute la dernière de ma vie — deux heures plus tôt. Mon horloge interne est calée sur le fuseau horaire de Santa Fe, où il est une heure plus tôt que dans l'Arkansas, et je n'ai pas envie d'aller me coucher. Je préfère parler avec Clarence. Je lui demande :

— Qu'est-ce que vous me proposez ?

Il est déjà debout, et avant de disparaître dit :

— Une petite pêche des monts Ozark.

C'est un liquide clair, de couleur légèrement ambrée, dans une grande bouteille. Il en verse deux petits verres puis se rassied, et nous trinquons.

— Soyez prudent. Il faut le boire très lentement, pour commencer. À votre santé ! me dit-il.

Je suis ses instructions. J'ai la sensation qu'on me passe les lèvres et la langue au chalumeau. Je m'efforce de n'en rien montrer et réussis à déglutir. Des flammes me déchirent l'œsophage tant que la dernière goutte n'a pas atteint mon pauvre estomac qui n'a rien demandé. Clarence m'observe fixement, attendant sans doute une réaction divertissante, mais je reste de marbre et il finit par lâcher :

— Pas mal, hein ?

— C'est de l'essence, ou quoi ?

— Juste une petite eau-de-vie de terroir fabriquée par un de nos meilleurs bouilleurs de cru.

— Je suppose qu'il ne possède pas de licence ?

— Plus illégal que ça, vous ne trouverez pas, nom de Dieu !

Il avale une autre gorgée.

— Je croyais que ça rendait aveugle.

— Il faut bien choisir son fournisseur. C'est de la bonne camelote, ce qui se fait de mieux — léger, goûteux et totalement inoffensif.

Inoffensif ? J'ai chaud jusqu'aux orteils, à présent. En tant que fils d'un alcoolique violent, je n'ai jamais été tenté par la boisson, et après une soirée arrosée au gin-citron et à l'eau-de-vie, je réalise l'étendue de ma sagesse.

— La deuxième gorgée passe toujours mieux, mais la meilleure, c'est la troisième, dit Clarence.

Ma deuxième gorgée est encore plus petite que la première, et cela me brûle effectivement moins, sans doute parce qu'il ne reste pas grand-chose à brûler après le passage de la première.

— Dites-moi, Paul, comment avez-vous su que votre père allait viser Joe ? me demande-t-il en attrapant sa pipe et sa blague à tabac.

— C'est une longue histoire, lui réponds-je en essayant de retrouver l'usage de ma langue.

Il sourit et écarte les bras.

— Nous avons tout notre temps. Je suis rarement couché avant minuit, et je dors jusqu'à huit heures.

J'avale une troisième gorgée et cette fois je perçois effectivement un léger goût de pêche.

— Il était très «vieille école». Pour lui, le frappeur qui marquait un coup de circuit avait gagné le duel. Il avait sa récompense, et il ne pouvait prétendre à rien de plus. Le joueur qui manifestait trop vivement sa satisfaction en restant sur la plaque à admirer la puissance de sa frappe, ou qui lançait le bâton en l'air négligemment ou qui faisait le tour des buts au ralenti pour jouir du moment, bref le joueur qui faisait quoi que ce soit pour manifester sa joie insultait le lanceur. C'était absolument interdit. Le frappeur avait gagné, il devait faire son tour le plus vite possible et retourner dans l'abri. Sinon, on lui faisait payer. Le joueur qui frimait, aussi peu que ce soit, risquait de se faire atteindre. C'était l'ancien code de conduite, le seul que mon père connaissait.

— Les choses ont bien changé depuis, dit mon hôte dans un nuage de fumée.

— Je serais incapable de le dire, Clarence. Je n'ai pas regardé un match en plus de trente ans.

— Joe avait fait quelque chose pour agacer votre père? Vous étiez présent. Vince Lloyd et Lou Boudreau n'ont cessé de répéter que Joe n'avait rien fait de mal.

— Eh bien, selon la propre version officielle de Warren, Joe n'avait rien fait puisque c'était un accident, puisque Warren n'avait pas visé Joe, puisqu'il avait perdu le contrôle de la balle. En fait, lorsqu'il est devenu clair que Joe était gravement blessé, Warren a changé de discours, tout simplement. Il s'est mis à mentir.

— Vous avez l'air bien sûr de vous.

— Quand j'avais cinq ou six ans, j'ai décidé que je voulais devenir lanceur parce que mon père était lanceur. Je n'étais pas mauvais et je me suis amélioré en grandissant. Mon père ne m'a pas beaucoup aidé parce qu'il n'était pas souvent là, mais on vivait dans la même maison et je suppose qu'un peu de son savoir-faire a fini par déteindre sur moi. Un jour que je lançais, un gamin de l'équipe adverse a frappé un coup de circuit, un vrai boulet de canon, puis il a fait le tour des buts en gesticulant et en hurlant. Ce jour-là, mon père était présent et lorsque le même gamin a repris le bâton un peu plus tard, il a hurlé :

« Cogne-le, Paul ! Vas-y, cogne-le ! » J'avais onze ans, et je n'avais envie de cogner personne. Et le gamin ne s'est pas pris une balle en pleine tête. Mon père était furieux. Après le match, on s'est disputés dans le jardin, il m'a giflé et m'a dit que je ne serais jamais un bon lanceur parce que j'étais un lâche, parce que j'avais peur de lancer sur les frappeurs. C'était un sale type, Clarence.

Suivent une autre gorgée, une autre bouffée.

— Et vous comptez lui rendre visite demain ?

— Oui, pour la première fois depuis fort long-temps.

— Et vous pensez le convaincre de venir à Calico Rock ?

— Je n'en sais rien, mais j'ai l'intention d'essayer.

— C'est une sacrée gageure.

— J'ai un plan. Pas sûr que ça marche, mais je vais essayer.

Il me verse un autre verre d'eau-de-vie. Après quelques minutes, je commence à dodeliner de la tête.

— Ça ne vous fait rien, ce truc-là ?

— Rien du tout. Mais vous, vous allez dormir comme un bébé.

— Je crois que je vais aller me coucher.

Je m'installe dans leur chambre d'amis, sous le ronronnement discret d'un ventilateur au plafond, à deux pas de l'endroit où Joe Castle habite avec sa mère. La dernière fois que je l'ai vu, il était sur un brancard et on l'évacuait vers un hôpital new-yorkais, laissant derrière lui son jeu brillant, les rêves de ses fans et une carrière prometteuse qui n'aurait jamais lieu.

Lorsque je lui dis au revoir, Fay est assise devant son chevalet, concentrée sur son travail. Je la remercie pour son hospitalité, et elle me répond que la chambre d'amis sera toujours disponible. Je suis Clarence en voiture jusqu'à Main Street. Nous nous garons puis nous nous dirigeons vers le drugstore Evans. Avant d'entrer, il me dit :

— Juste pour être tranquilles, au cas où on vous le demanderait, dites que vous vous appelez Paul Casey.

Ça ne me pose pas de problème. J'en ai bien plus l'habitude qu'il ne l'imagine.

Chez Evans, les clients du matin sont tous des hommes et Clarence en salue certains au passage tandis que nous avançons vers une table dans le fond sans que j'aie à me présenter. De toute évidence, Clarence n'est végétarien qu'à la maison, où Fay est responsable du menu. Il commande des œufs au bacon, et je fais de même. Nous sirotons nos cafés en attendant nos plats, tandis qu'autour de nous ça discute ferme. À une grande table près de la vitrine, un groupe de retraités est très remonté à propos de la guerre en Irak. Tout le monde a un avis, et tout le monde semble se moquer pas mal de savoir qui a raison.

— J'ai l'impression que la ville est plutôt conservatrice, d'un point de vue politique, dis-je à Clarence.

— Oh oui, mais quand vient le moment de voter, les gens sont partagés. La population d'Izard County est blanche, presque sans exception, mais il y a encore pas mal de démocrates à l'ancienne, style Roosevelt. On les appelle les « démocrates électricité ».

— Première fois que j'entends ça.

— Ça remonte à l'électrification du coin. Ça s'est fait pendant le New Deal, il y a un bout de temps.

— Comment se fait-il qu'il y ait tant de Blancs ?

— C'est dû à des raisons historiques. Il n'y avait pas beaucoup de fermes dans le coin, donc pas d'esclaves. Et dans le temps les Noirs n'avaient aucune raison de venir s'installer par ici. Aujourd'hui j'imagine qu'il y a mieux ailleurs. Mais attention, il n'y a jamais eu de Ku Klux Klan par ici, si c'est ce que vous êtes en train de penser.

— Je ne pensais rien du tout.

Le mur au-dessus de la caisse est tapissé de photos d'équipes sportives — petite ligue, softball, équipe de basket du lycée, certaines sont récentes, d'autres anciennes, jaunies. Au centre trône la couverture de *Sports Illustrated*, encadrée : « Calico Joe. Le phénomène ». Je la contemple en souriant :

— Ça me fait penser au jour où je l'ai reçue par la poste.

— Tout le monde s'en souvient ici. Sans doute le plus grand jour que la ville ait connu.

— On parle encore de lui ?

— Rarement. Trente ans ont passé, vous savez. Je ne sais plus à quand remonte la dernière conversation que j'ai eue à son sujet.

Nos œufs au bacon arrivent. À la table près de la vitre, la guerre continue. Nous mangeons rapidement, et je règle l'addition. Cash, pas de carte de crédit, car je ne veux pas qu'on voie mon nom. Clarence pense qu'il vaut mieux prendre sa voiture — une Buick marron — pour ne pas attirer l'attention. La Buick sent le tabac refroidi, rien de surprenant. Elle n'est pas climatisée et nous effectuons le court trajet avec les vitres baissées.

Le lycée se trouve a environ un kilomètre du centre, dans un quartier plus récent de la ville. Je sais que Calico Rock est trop petite pour avoir une équipe de football américain, et lorsque j'aperçois l'éclairage, je me dis que le terrain n'est pas bien loin. Au loin, dans le champ extérieur centre, un homme conduit une tondeuse sur roues. « C'est Joe », dit Clarence.

La rentrée est encore loin, et le parking est désert. Nous nous garons près d'une vieille arène à rodéos, traversons la rue et approchons le terrain par l'arrière des tribunes. Nous grimpons jusqu'à la dernière rangée et nous installons à l'ombre de la tribune de la presse. C'est un beau terrain. Le gazon est vert, luxuriant. Tout le reste brûle sous le soleil du mois d'août et la sécheresse, mais le gazon du terrain Joe Castle est épais, soigné et bien arrosé. Les chemins entre les buts et la terre battue du champ intérieur sont méticuleusement entretenus. On dirait que le monticule a été sculpté à la main. Un marquage à la chaux blanche d'un bon mètre de large indique les lignes de jeu, et pas une mauvaise herbe n'est visible.

Du côté du champ gauche, juste derrière la grille d'entrée, se trouve un panneau d'affichage en haut duquel est écrit « JOE CASTLE FIELD » et en bas « DOMICILE DES PIRATES ».

Joe chevauche un engin rouge avec toute sorte de lames et de dispositifs, une machine imposante, de toute évidence adaptée aux terrains de jeu. Il porte une casquette noire enfoncée sur les yeux et des lunettes de soleil. Il s'est empâté, depuis le temps, ce n'est pas étonnant.

— Il est là tous les jours ? je demande.

— Cinq jours par semaine.

— On est en plein mois d'août. Il n'y aura pas de match avant, quoi, mars ?

— La mi-mars, s'il ne neige pas.

— Alors pourquoi tond-il le gazon et prépare-t-il le terrain jour après jour ?

— Parce que c'est comme ça. C'est son job.

— Il est payé pour ça ?

— Oh oui. Joe est rentré à la maison à la veille de Noël 1973. Après deux mois d'hospitalisation à New York, les Cubs l'avaient ramené à Chicago, où il avait séjourné plusieurs semaines dans un autre hôpital. Red et Charlie l'ont ramené juste avant Noël. Il disait qu'il voulait se remettre à jouer, mais on savait à quoi s'en tenir. Juste après le nouvel an, il a eu une attaque, massive. Il était seul chez lui, et le temps de le conduire à l'hôpital de Mountain Home, il y avait eu des dégâts. Son côté gauche est resté partiellement paralysé. Ça se voit quand il marche.

— Il sait que nous sommes là ?

— Oh oui. Il nous a vus nous garer, marcher jusqu'ici, nous installer. Il sait que nous parlons de lui. Ça m'étonnerait qu'il vienne nous saluer, mais avant la fin de la journée, Red ou Charlie va me passer un coup de fil pour me demander ce que je faisais là, et avec qui j'étais. J'ai l'intention de leur raconter que j'étais en compagnie de mon neveu du Texas, qui entraîne l'équipe de baseball d'un lycée et voulait admirer notre terrain.

— D'accord. Mais revenons à notre histoire. Pourquoi le paye-t-on pour s'occuper du terrain ?

— Après son attaque, il n'y avait plus le moindre doute. Joe était invalide et avait besoin d'un boulot. Le lycée l'a engagé en tant que gardien, un boulot à plein temps avec couverture sociale et retraite, et depuis trente ans on veille sur lui. Il entretient le terrain, s'active dans le gymnase, et lorsque l'équipe de baseball joue, il s'installe dans la tribune de la presse et fait fonctionner le tableau d'affichage.

— C'est une belle idée.

— On prend soin les uns des autres, ici, à Calico Rock, Paul. Et tout particulièrement de Joe.

Après avoir tondu un côté du terrain, Joe fait demi-tour et revient en arrière. La tondeuse longe la ligne de démarcation du champ extérieur. Je me demande si les lames coupent quoi que ce soit. La partie non tondue a l'air aussi propre que celle sur laquelle il vient de passer.

— À quoi pensez-vous? me demande Clarence en rallumant sa pipe.

— À ce qui s'est passé, à ce qui aurait pu se passer. À ce qu'il aurait pu devenir. Aurait-il été un grand parmi les grands du baseball?

— Vous allez vous rendre dingue. Je me suis posé ces questions pendant des années, et j'ai fini par comprendre que ça ne servait à rien. L'histoire de Joe Castle est une tragédie, un point c'est tout. C'est difficile à admettre, mais passé un moment il faut tourner la page.

— Vous pensez que c'est une bonne idée de faire venir Warren Tracey ici, d'organiser une rencontre avec Joe?

Une longue bouffée, un énorme nuage de fumée. Il fait déjà près de trente degrés, je me demande comment il supporte de fumer par une chaleur pareille.

— Vous savez, Paul, assis ici, en ce moment, j'ai du mal à imaginer votre père se pointant pour serrer la main de Joe et évoquer le bon vieux temps avec lui.

— Oui, ça paraît improbable.

— Vous pensez vraiment que vous pouvez le convaincre ?

— Je vais essayer, Clarence. Je pense que je peux y arriver.

— Comment ?

— En le faisant chanter.

Joe fait un dernier demi-tour sur le champ extérieur. Il n'a toujours pas jeté un regard dans notre direction.

— Je préfère ne pas en savoir plus, dit Clarence.

— Oui, c'est mieux comme ça.

Nous regardons la tondeuse travailler. Clarence finit par dire :

— Mon avis ne vaut pas grand-chose, mais oui, je pense que ça ferait du bien à Joe que Warren Tracey lui demande pardon. Ils ne se sont jamais parlé, jamais rencontrés depuis ce jour. C'est une bonne idée. Mais comment allez-vous faire ?

— Ce n'est pas gagné, Clarence. Mais vous pouvez m'aider. Pouvez-vous en parler à ses frères ? Il faut que les choses soient réglées de leur côté.

Joe se gare à l'extérieur de la ligne de fausses balles du champ gauche et éteint le moteur de la tondeuse. Il déplace sa jambe droite, agrippe les poignées et descend à terre. Il attrape une canne et se dirige vers une cabane à outils. Il boite, son pied gauche est à la traîne, son pied droit avance par à-coups. Je ne peux m'empêcher de dire :

— Pauvre gars.

Et une partie de moi-même a envie de pleurer. Le beau gosse qui pouvait courir de la plaque jusqu'au premier but en moins de quatre secondes, le prodige qui avait volé sept fois de suite le deuxième et le troisième but en trente-huit parties, qui transformait les simples faciles en doubles serrés, l'athlète magnifique dont la grandeur était visible à toutes les étapes du jeu, était devenu un gardien boiteux qui tondait une pelouse qui n'avait pas besoin d'être tondue. Cette simple pensée me tuait : à trente ans, alors qu'il aurait dû être au sommet d'une grande carrière, il faisait déjà ce qu'il était en train de faire en ce moment.

— C'est triste, ajoute Clarence.

Joe disparaît dans la cabane à outils.

— Il risque de passer un bout de temps là-dedans. Nous ferions mieux de partir.

Sur le chemin du retour, Clarence accepte de parler à Charlie et à Red pour leur exposer l'idée de la rencontre. Je lui répète ce qui va de soi : Warren n'en a plus pour longtemps. Il n'y a pas de temps à perdre.

Nous nous arrêtons à côté du *Calico Rock Record*, où nous buvons une dernière tasse de café. Nous nous disons longuement au revoir. Nous sommes tous les deux heureux de ces moments passés ensemble, et j'espère de tout mon cœur que nous aurons bientôt l'occasion de nous retrouver. Mais, en quittant la ville, je me demande si j'y remettrai les pieds un jour.

Quatre heures plus tard, je suis à Memphis. Je m'envole pour Atlanta, puis pour Tampa, où je loue une autre voiture et me dirige vers Winter Haven.

Chapitre 14

Avec ma mère, nous sommes restés à regarder la télé bien après le départ du policier. Nous avions fermé les portes à double tour, baissé les stores, et éteint toutes les lumières. Le policier avait promis de faire des rondes dans notre rue, mais la peur ne nous quittait pas. L'appel n'était peut-être qu'une plaisanterie de mauvais goût d'un fan des Cubs qui avait trouvé notre numéro dans l'annuaire, mais ça paraissait sérieux. On ne nous avait jamais menacés. Nous étions traumatisés, bouleversés, incapables de nous mettre au lit comme si de rien n'était.

Pendant une pause publicitaire, ma mère m'a demandé :

— Comment as-tu su ce qu'il allait faire ?

Elle était à une extrémité du sofa et moi à l'autre.

— C'est comme ça qu'il joue au baseball, ai-je répondu.

— On a le droit de viser quelqu'un à la tête ?

— Je ne sais pas. Je ne sais pas pourquoi on le tolère.

— Quel sport imbécile ! a-t-elle conclu.

Je n'avais pas envie de discuter. Nous étions aussi terrorisés à l'idée de voir débarquer Warren totalement ivre. Il avait été expulsé le visage en sang, mais il n'avait pas été sérieusement amoché pendant la bagarre. D'un autre côté, s'il n'était toujours pas là à trois heures du matin, on ne risquait sans doute pas de le revoir. Il devait être accoudé à un comptoir quelque part, en train de s'attribuer le mérite de la victoire des Mets tout en exhibant ses bleus.

Je me suis assoupi, et ma mère m'a réveillé vers six heures du matin :

— C'est l'heure des infos.

Le premier journal de la journée était celui de la chaîne de Manhattan, Channel Four. Leurs émissions démarraient toujours par les infos, la météo et les sports, et ils en sont tout de suite venus aux événements de la veille. « Violente soirée au Shea Stadium », a lancé le journaliste tandis que les images défilaient sur l'écran. Une caméra du côté de l'abri des Mets avait tout filmé et on voyait Joe s'écrouler, frappé à la tête. Puis à nouveau, au ralenti, et encore une fois, tandis que le journaliste décrivait l'incident en détail. En conclusion, on apprenait que Joe était hospitalisé à Manhattan, et que son état était sérieux.

Au moins il était en vie.

Ensuite, il y a eu des images de la bagarre, qui a semblé durer une éternité — comme dans la réalité. J'avais déjà tout vécu en direct, je n'en pouvais plus. J'étais écœuré, déprimé. Plus tard, je comprendrais que cet épisode m'avait définitivement fait haïr ce sport.

Le jour s'est levé, et je suis sorti chercher le *New York Times* qu'on venait de nous livrer. J'ai vérifié que tout était calme dans notre rue sans savoir encore que je passerais plusieurs mois à regarder ainsi par-dessus mon épaule.

Ma mère a siroté son café en feuilletant le journal tandis que moi je lisais attentivement la page des sports, qui arborait deux photos : la première montrait Joe sur le sol tout de suite après avoir été touché, avant d'être entouré par les entraîneurs. La deuxième était un superbe cliché de Razor Ruffin en train de plaquer brutalement mon père au sol. Après le match ni Ruffin, ni Warren Tracey, ni Yogi Berra ni Whitey Lockman, ni aucun autre joueur, ni aucun autre coach n'avait fait le moindre commentaire. Mais il était clair que la guerre n'était pas terminée. Les deux équipes devaient s'affronter à nouveau l'après-midi même. Les médecins qui s'occupaient de Joe n'avaient pas grand-chose à dire non plus, si ce n'est qu'il n'avait pas repris connaissance et que son état était jugé sérieux.

Le téléphone a sonné et nous avons regardé fixement l'appareil pendant une seconde. C'est moi qui étais le plus près, j'ai donc répondu en soulevant timidement le combiné :

— Allô ?

— Warren Tracey est un homme mort ! a hurlé une voix d'homme.

Ma mère a débranché tous les téléphones.

La presse de Chicago était outrée. « En pleine tête ! » titrait le *Sun-Times*, juste au-dessus d'une photo de Joe Castle à terre, son casque à côté de lui. La une du *Tribune* était un peu plus mesurée : « Les Mets trouvent le moyen pour arrêter Castle. »

Samedi matin, Bowie Kuhn a réuni la commission nationale du baseball qu'il présidait dans les bureaux de la ligue majeure à New York. Après avoir examiné les images et interrogé les témoins, la décision a été prise de suspendre Razor Ruffin et Whitey Lockman pour dix matches. Warren Tracey écopait de cinq matches de suspension et huit autres joueurs de trois. Le bureau de presse de la commission a publié un communiqué insipide souhaitant à Joe Castle un prompt rétablissement.

Samedi après-midi, le Shea Stadium affichait complet. Les fans des Cubs étaient encore plus nombreux et ils cherchaient la bagarre. Dès le premier lancer de Tom Seaver, une grenade fumigène a atterri près de la plaque. La partie a été interrompue pendant un quart d'heure, le temps que la fumée se dissipe. Les fans des Mets huaient, les supporters des Cubs les insultaient, l'ambiance était tendue. Il y avait des vigiles partout et une rangée de policiers bordait le terrain. Joe avait été blessé pendant la troisième manche, lors du troisième lancer alors qu'il était le troisième frappeur. Lorsque Tom Seaver a lancé sa troisième balle à Burt Hooton, le frappeur de départ des Cubs, au début de la troisième manche, une pluie de grenades fumigènes s'est abattue sur le terrain. Des supporters des Mets s'en sont pris aux lanceurs de grenades, et il y a eu une bagarre généralisée, suivie d'arrestations. Le match a été interrompu pendant une demi-heure tandis que les haut-parleurs lançaient des avertissements. Les choses tournaient mal, et ça n'allait pas s'arranger.

J'aurais voulu écouter le match mais j'en étais incapable. J'aurais préféré me réfugier chez les Sabbatini, mais ma mère serait restée seule. Je me suis donc enfermé dans ma chambre, j'essayais de m'occuper et de temps à autre, j'allumais le poste.

Quand les Mets jouaient à domicile, mon père était à la maison et je préférais attendre quelques jours avant de découper les articles de la page des sports pour mes albums. Mais je m'ennuyais, et il n'était pas là et de toute façon je me moquais bien de ce qu'il aurait dit. Je me suis installé à la table de la cuisine, j'ai soigneusement découpé les articles du *Times*, puis je suis allé chercher mes albums dans ma penderie, là où je les rangeais avec ma collection de cartes. Tout était méticuleusement classé, et personne d'autre que moi n'avait le droit d'y toucher. Il y avait tellement d'articles et de photos sur les débuts historiques de Joe Castle, que j'avais dû créer un classeur pour lui tout seul. Les seuls autres joueurs qui avaient droit à de tels honneurs étaient Tom Seaver, Willie Mays, Hank Aaron et Catfish Hunter. Quant aux autres albums, ils contenaient un bric-à-brac de souvenirs, d'articles et de photos de différentes équipes — les Mets de 1973, les Mets de 1972, la « grande machine » des Reds, les A's d'Oakland de 1972, et ainsi de suite. Deux années plus tôt, j'avais créé un album pour mon père, mais il n'y avait pas assez de matériel pour l'alimenter.

Mon album Joe Castle n'était plus là. J'ai mis ma penderie et ma chambre sens dessus dessous avant de devoir me rendre à l'évidence : il avait disparu. Je me suis allongé sur le lit et j'ai regardé le plafond. Jill était en colonie de vacances et de toute façon elle n'y aurait jamais touché, le baseball lui faisait horreur. Ma mère non plus.

Notre maison avait un sous-sol avec une petite buanderie, un petit débarras et une grande salle de loisirs où trônaient une télévision et une table de billard. Une porte donnait sur le jardin. Lorsque mon père rentrait tard, il passait par là et s'écroulait sur le canapé. Il lui arrivait aussi de dormir là lorsqu'ils se disputaient avec ma mère. Parfois ils s'enfermaient pour s'engueuler dans la salle de loisirs, pour que nous ne puissions pas les entendre. Les jours où mon père lançait, il s'enfermait en bas des heures durant, seul, volets clos et lumières éteintes, perdu dans son monde. Il considérait que la salle de jeux faisait partie de son territoire, et cela nous convenait parfaitement. L'endroit lui appartenait, et on était ravis de le lui laisser.

Je suis descendu au sous-sol, en allumant toutes les lumières au passage. Mon album était dans la salle de loisirs, sur une table basse à un bout du canapé. Il était ouvert à la page où j'avais collé la chouette photo que Joe m'avait dédicacée : « Pour Paul Tracey, de la part de Joe Castle, avec toute mon amitié. »

À côté de l'album il y avait un mug des Mets, le mug de mon père, celui dans lequel il buvait nécessairement son milk-shake à la banane six heures pile avant le début du match. Un jour que son satané mug était introuvable, il avait piqué une colère terrible, et avait cassé des assiettes dans la cuisine.

Je suis resté cloué sur place. C'était comme si j'avais découvert une scène de crime — j'ai tout compris, tout de suite. Seul dans la pénombre, le criminel avait silencieusement ourdi son forfait et laissé des preuves derrière lui.

Je suis sorti à reculons et suis allé chercher ma mère.

Nous étions ébranlés, effrayés, épuisés, et nous avons pris la décision de partir. Nous avons fait nos bagages à toute vitesse, fermé la maison à clé et avons roulé en voiture jusqu'à Hagerstown, dans le Maryland, où habitaient les parents de ma mère. Warren pouvait garder la maison, les menaces de mort et tout ce qui allait avec. Il l'avait bien cherché.

Chapitre 15

Après s'être remarié deux ou trois fois, Warren a commencé à choisir ses épouses en fonction de leur patrimoine et non de leur apparence. Florence, une de ses dernières conquêtes, est morte d'un infarctus en lui laissant une belle maison et un peu d'argent à la banque. Warren n'est pas riche, mais il a de quoi vivre confortablement sans travailler et passe ses journées à jouer au gin-rummy, au golf, et à boire. Il y a une dizaine d'années, il devait avoir dans les cinquante-cinq ans, sa femme de l'époque, je crois qu'elle s'appelait Karen, l'a persuadé d'arrêter de boire et de fumer. Il l'a fait, mais trop tard et la pauvre Karen n'a pas tardé à s'apercevoir qu'il était bien plus agréable quand il buvait. Ils ont fini par divorcer et mon père, qui n'est jamais resté seul bien longtemps, s'est installé avec Agnès, sa femme actuelle.

Ils habitent un de ces quartiers sécurisés typiques de la Floride, où des maisons basses de construction récente se succèdent le long de rues tirées au cordeau, agrémentées d'étangs et de verts de golf. Ici, personne n'a moins de soixante ans et tout le monde roule en voiturette de golf.

À propos de golf. Dès que sa carrière de joueur de baseball a été terminée, Warren s'est voué corps et âme à ce qu'il espérait être un nouveau départ professionnel. Il s'est adjoint les services d'un coach de haut niveau et s'est entraîné durement, des heures durant, jour après jour. Il avait trente-cinq ans et ses chances de succès étaient minces, mais il estimait n'avoir rien à perdre. Il a fini par se qualifier pour le Citrus Circuit, un petit tournoi du sud de la Floride, l'équivalent pour le golf d'un championnat de catégorie B en ligue mineure au baseball. Il a remporté le deuxième match, et son nom a été mentionné dans une page intérieure du *Miami Herald*. Quelqu'un l'a lu. Ce quelqu'un en a parlé à quelqu'un d'autre et ainsi de suite, et un plan a été échafaudé. Lors du match suivant, au moment précis où Warren armait son premier swing, une bande de fans des Cubs s'est mise à l'invectiver. Abreuvé de sifflets et de quolibets, il a patiemment attendu l'intervention des responsables mais ces petits tournois ne peuvent s'offrir un service de sécurité digne de ce nom, et les trouble-fête ont refusé de partir. Lorsque sa balle a atterri dans un bassin, ils ont hurlé à tue-tête et sifflé de tout leur cœur. Warren n'a plus eu un instant de répit, et après le neuvième trou il a jeté l'éponge.

La concentration d'un joueur de golf est quelque chose de délicat, comme en témoignent les règles très strictes concernant le comportement du public lors des tournois professionnels. Hélas, le Citrus Circuit n'avait pas les moyens de faire face à la furie des persécuteurs de Warren. Ils le suivaient à la trace, et dès qu'il jouait quelque part, ils l'attendaient en embuscade. Lors d'une rencontre, il avait réussi à faire trois « birdies » dans les trois premiers trous sans être dérangé, puis de jeunes excités l'avaient pris à partie alors qu'il s'apprêtait à attaquer le quatrième trou. Son score empirait à mesure que sa tension artérielle grimpait, et au cours du deuxième tour du cinquième match, il avait déclaré forfait.

Bien sûr, il y a beaucoup de fans des Cubs en Floride, et Warren a eu sans cesse maille à partir avec eux sur les verts. Sans compter les bagarres dans les bars, les magasins et les aéroports. Il a pris l'habitude de toujours payer en liquide, pour ne pas avoir à sortir une carte de crédit. Il s'est même fait escroquer de quarante mille dollars au cours d'une fausse transaction immobilière montée par deux fanas des Cubs. Tracey n'est pas un nom de famille courant, et pendant des années Warren en a payé les conséquences.

Le gardien âgé m'autorise à franchir la grille. C'est la fin de l'après-midi, et des couples font du vélo ou marchent sur les trottoirs. Le terrain de golf est désert. Les pelouses sont vertes, soigneusement entretenues.

Selon mes informations, Warren et Agnès ont acheté la maison pour six cent cinquante mille dollars cinq ans plus tôt. Je ne tiens pas un compte précis, mais ça doit être la quinzième fois en trente ans qu'il change de résidence. Warren a la bougeotte et se lasse aussi vite de ses femmes que de ses maisons.

Je ne l'ai pas vu depuis quatre ans. À l'époque, nous avons fait le séjour obligatoire à Disney World avec les filles, et je ne sais pas ce qui m'a pris de penser qu'elles devaient au moins rencontrer leur grand-père paternel. Quel désastre ! Warren ne voulait pas de nous chez lui, et il ne voulait pas non plus nous présenter Agnès. Il nous a invités à déjeuner dans un fast-food spécialisé dans les gaufres, Wink's Waffles, pas loin de chez lui. Il a fait de son mieux pour être courtois. Il n'avait jamais rencontré les filles, et c'était pathétique de le voir jouer au grand-père. Pour elles, comme pour Sara et moi-même, c'était un inconnu. Il était mal à l'aise et ça se sentait.

Les parents de Sara habitent dans le Colorado et nous les voyons plusieurs fois dans l'année. Ils adorent leurs petites-filles, font vraiment partie de leur vie et celles-ci ont donc une idée assez précise de ce que sont de véritables grands-parents. Pour elles, Warren était un ovni. Il ne savait plus comment elles s'appelaient, n'avait aucune envie de bavarder avec elles et n'était absolument pas chaleureux — il en est de toute façon incapable. Il s'est à peine caché pour regarder sa montre au bout d'une demi-heure.

Par la suite, j'ai promis aux filles et à Sara que je ne leur imposerais plus jamais de voir mon père. Je pense que ça les a rassurées. Plus tard, lorsque nous sommes rentrés à la maison, les filles ont dit à leur mère que je leur faisais de la peine. Elles ne comprenaient pas comment un chic type comme moi pouvait avoir un père aussi nul.

Devant le garage de la maison est garée une Mercedes qui doit avoir une bonne quinzaine d'années. Je sonne et Agnès finit par m'ouvrir. C'est la première fois que je la vois, et je ne tiens pas à faire durer les présentations. Pas plus qu'elle, d'ailleurs. C'est la dernière victime en date d'une longue et triste série de femmes faibles et désemparées qui pour tromper leur solitude ou quelque autre raison insondable ont choisi d'épouser Warren Tracey. Je lui emboîte le pas en me demandant combien de maris elle a eu, mais au fond je m'en moque.

Warren regarde la télévision dans la salle de loisirs, un petit chien de compagnie à ses côtés. Il se lève aussitôt, esquisse un sourire et me tend la main. Je la serre, et je suis frappé par son apparence. Il est pâle, le moindre mouvement a l'air de lui coûter, mais pour un mourant il est plutôt en forme. Il baisse le volume de la télé, sans toutefois l'éteindre. Son manque total de manières ne cessera jamais de me surprendre. Je m'installe sur une chaise, tandis qu'Agnès prend place sur le canapé à côté de son chien. Je me débarrasserai d'elle dans une minute.

Nous évoquons brièvement son opération et je fais mine de m'y intéresser. Ensuite, il me parle de sa chimio, qui doit commencer dans une semaine. « Je vais battre cette saloperie, Paul », me dit-il, réplique sans doute longuement mûrie qu'il énonce pourtant sans grande conviction. Il a l'air de penser que ça m'intéresse. Il a l'air de penser que je suis venu jusqu'ici parce que je m'inquiète pour lui. Si j'étais mourant, je suis sûr qu'il trouverait un prétexte pour ne pas venir me voir. Qu'est-ce qui l'autorise à croire que sa maladie me préoccupe ?

Il m'a fallu des années pour trouver la réponse à cette question. Warren pense qu'il est spécial. Il a été joueur de baseball professionnel. Il ne fait peut-être pas partie du Temple de la renommée, mais le baseball de ligue majeure, c'est quand même l'élite. Toute sa vie s'est déroulée dans ce petit monde narcissique, égocentrique : il pense qu'il vaut mieux que les autres.

Je le relance mollement par des questions, histoire de le laisser parler. Combien durera la chimio ? Que lui ont dit les docteurs ? Que pensent-ils vraiment ? Je connais un type dont le père a vécu pendant quinze ans avec un cancer du pancréas. Vont-ils l'opérer à nouveau?

Lui ne me pose pas la moindre question sur ma famille, ni sur ma sœur et la sienne. Comme d'habitude, la seule chose qui l'intéresse, c'est lui.

Agnès, qui est un peu empâtée mais plus jeune que Warren, est assise à ses côtés et sourit benoîtement à ses propos tout en caressant son toutou, comme s'il était drôle et intéressant. Après une dizaine de minutes, je commence à me dire qu'il n'en faut pas beaucoup pour la faire sourire. Je me demande si elle se rend compte que la politesse la plus élémentaire voudrait qu'elle m'offre quelque chose à boire.

Je la regarde droit dans les yeux et dis :

— Agnès, je dois discuter de deux ou trois choses avec Warren, en privé. Des affaires de famille, vous savez, des trucs plutôt personnels. Ça vous ennuierait de nous laisser seuls un instant?

Ça ne lui plaît pas, mais Warren sourit et lui montre la porte de la tête. Elle sort en traînant des pieds et referme derrière elle. J'attrape la télécommande, j'éteins la télé, je me rassois et je dis :

— Devine qui j'ai vu ce matin, Warren.

— Comment veux-tu que je sache?

— Toujours égal à toi-même, hein?

— Toujours, tu l'as dit.

— Joe Castle, voilà qui j'ai vu. J'étais à Calico Rock hier. J'y ai passé la soirée, et ce matin j'ai vu Joe.

— Tu passais par hasard?

— Non, pas du tout. J'y suis allé pour le voir.

Il se tasse un peu sur lui-même et l'air devient un peu plus pesant. Je le fixe du regard, mais il ne lève pas les yeux. Une minute passe, puis une autre. Il finit par lâcher dans un grognement :

— Tu as quelque chose à me dire ?

Je me lève et m'assieds en face de lui, sur la table basse. À un mètre de distance, je me rends compte à quel point ce vieux type mourant m'est antipathique. Je sens la colère monter en moi, mais je me suis juré de ne pas revenir sur notre passé.

— Je veux que tu ailles le voir, Warren. Tout de suite, avant qu'il ne soit trop tard, avant que tu ne sois mort, avant que lui ne soit mort. Tu n'auras pas d'autre chance, Warren. Vas-y et dis-lui la vérité droit dans les yeux, excuse-toi, essaye au moins de mettre un point final à cette histoire.

Il fronce les sourcils, comme s'il avait très mal quelque part. Il me regarde, sa bouche s'ouvre en grand, mais pas un mot ne sort.

— Je suis sérieux, Warren. Tu mens depuis trente ans, mais toi et moi on connaît la vérité. Pour une fois dans ta vie, assume et reconnais tes torts, excuse-toi. Tu ne lui as jamais tendu la main. Tu n'as jamais eu le courage de le regarder en face. Tu n'as jamais voulu affronter la vérité, tu n'as fait que fuir. Tu as menti, et menti, et encore menti, au point que tu crois sans doute à tes propres mensonges. Ça suffit, arrête de mentir, dis-lui ce qui s'est passé, dis-lui que tu es désolé.

— T'en as du cran pour te pointer chez moi avec ces conneries ! grogne-t-il.

— Du cran, j'en ai plus que toi, mon vieux, ça s'est sûr. Si tu en avais, tu irais le voir. Je suis prêt à t'accompagner. On fera le voyage ensemble, quand ça sera terminé, tu te sentiras mieux.

— T'es un vrai puits de sagesse, dis donc.

— En ce qui concerne cette histoire, oui, c'est certain.

Son visage pâle s'est empourpré sous l'effet de la colère, mais il ne dit rien. Une autre minute s'écoule.

— Que lui as-tu dit? me demande-t-il.

— Rien. Je ne lui ai pas parlé. Je l'ai vu de loin. À cause de toi, il a du mal à marcher, il boîte et doit s'aider d'une canne.

— Je n'ai pas fait exprès.

Je lève les mains au ciel et éclate de rire.

— Et allons-y! Le plus grand mensonge de l'histoire du baseball! Le pire, c'est que tout le monde sait que c'est un mensonge, à commencer par toi.

— Sors d'ici!

— Dans une minute, je n'en ai pas pour longtemps. Regarde la réalité telle qu'elle est, Warren. Tu ne passeras pas Noël. Pas l'ombre d'une chance. Quand tu seras mort, personne ne dira: «Sacré Warren, quel merveilleux père c'était», ou «Warren, quel époux admirable», Ça n'arrivera pas, Warren, parce que ça ne correspond à rien. En revanche, tu peux être sûr d'une chose, si on parle de toi, ce sera pour dire: c'était l'auteur du pire lancer à la tête de toute l'histoire du baseball. Il a fait exprès de réduire à néant la carrière la plus prometteuse de son temps. Voilà ce qu'on dira de toi, Warren, et tu n'y peux rien.

— Ça suffit comme ça, va-t'en!

— Avec joie, mais je n'ai pas tout à fait fini. Tu ne peux pas défaire les malheurs dont tu es responsable — tes enfants délaissés, ton fils maltraité, ta femme battue, l'alcool, les jupons, tu ne peux rien faire pour effacer les ravages que tu as causés. Même si l'envie t'en prenait, et je suis sûr que ça ne risque pas d'arriver, tu ne pourrais pas arranger ça. Mais il existe une personne à qui tu peux faire du bien, une personne dont tu peux illuminer un peu l'existence. Fais-le

Warren. Fais-le pour Joe. Fais-le, pour toi-même. Fais-le pour moi.

— Ma parole, t'es cinglé.

Je saisis ma veste et tire un tas de feuilles d'une des poches.

— Je voudrais que tu lises ça. Ça s'appelle « La mise à mort de Joe Castle », par Paul Tracey, fils de Warren Tracey. Je l'ai écrit il y a des années, et je l'ai relu et corrigé des milliers de fois. Tout ce que j'y raconte est vrai. Je vais le publier tout de suite après ta mort. Dans *Sports Illustrated* et dans *Baseball Monthly*, pour commencer, ensuite dans les journaux de Chicago, après je ne sais pas, mais je parie que ça suscitera de l'intérêt. Je ne demanderai pas un cent. Je veux juste qu'on sache la vérité.

Je pose les feuillets sur ses genoux.

— Une seule chose pourrait m'en empêcher. Que tu m'accompagnes à Calico Rock.

— C'est du chantage ?

— T'as pigé, Warren. Du bon vieux chantage, mais pour la bonne cause.

Je pose une carte de visite sur le canapé et dis :

— Je suis à l'hôtel Best Western, sur la route. Si tu veux qu'on parle, je t'attendrai chez Wink's Waffles, ton restaurant préféré, demain matin à neuf heures.

Quand je quitte la pièce, il est en train de se gratter la tête. Je ne croise pas Agnès en sortant.

Je prends une chambre au Best Western, j'appelle la maison et je discute un moment avec Sara, puis je descends manger quelque chose. Le restaurant de l'hôtel est peu accueillant et désert, hormis des commis voyageurs qui boivent un coup dans un box en racontant des histoires. Je m'installe à une table, je commande un sandwich et un thé glacé. Il y a une télé dans un coin. Le son est coupé, mais je vois que les Mets jouent contre les Cubs. Je fixe l'écran. Pour la première fois depuis trente ans, je regarde un match de baseball.

Chapitre 16

Le 8 septembre 1973, Warren Tracey était le lanceur de départ contre les Padres de San Diego. Il a laissé deux joueurs marcher jusqu'au premier but pendant la première manche, mais un double avec les buts remplis l'a tiré d'affaire. Ensuite, pendant la deuxième manche il a laissé deux autres joueurs marcher jusqu'au premier but, puis a concédé deux doubles l'un à la suite de l'autre. Sur les ondes, Ralph Kiner se demandait si Warren se croyait « à l'échauffement ». Lorsque Yogi Berra l'a enfin retiré, les Padres menaient par cinq points et les Mets, qui avaient gagné huit de leurs dix derniers matches, étaient en mauvaise posture.

Au cours de ses trois derniers matches, Warren avait à peine fini trois manches, concédé dix-sept coups de circuit sur douze frappes, laissé treize joueurs marcher jusqu'au premier but, et sa moyenne était exécrable. Depuis qu'il avait frappé Joe, il était incapable de lancer correctement et toute la ligue nationale était au courant. La presse et les fans réclamaient sa tête, et les Mets ne pouvaient pas laisser la situation s'éterniser. L'équipe gagnait sauf lorsque

Warren jouait, et on évoquait désormais à haute voix son remplacement dans la rotation.

La pression n'a fait que croître. Le 15 septembre, les Mets devaient se rendre à Chicago pour une série de trois matches et la présence de Warren Tracey risquait de faire couler le sang. On ne comptait plus les menaces de mort — au siège des Mets, chez les journalistes et même chez certains joueurs des Mets. La presse de Chicago s'interrogeait: n'y avait-il pas un vrai risque si les Mets prenaient la décision stupide de faire jouer Tracey? Le président de la commission du baseball, Bowie Kuhn, suivait l'affaire de près.

Le 14 septembre, trois semaines après avoir lancé sur Joe Castle, Warren Tracey était remercié par les Mets.

Bien sûr, mon père ne s'est pas empressé de téléphoner à la maison pour nous annoncer qu'on l'avait viré. Pour cela il aurait fallu qu'il soit capable de courage et de maturité. Les Mets étaient en déplacement à Los Angeles, et dès que j'ai allumé la télé pour regarder le match, j'ai entendu Lindsey Nelson et Ralph Kiner discuter du départ de Warren Tracey qui venait d'être annoncé par la direction des Mets. Il lançait si mal ces derniers temps qu'il s'était éjecté tout seul, et pendant un moment ils avaient récapitulé sa carrière. Un mois plus tôt, il était à sept contre sept, et avait la main heureuse. Depuis l'affaire Castle, en revanche, c'était une catastrophe.

Le soulagement de Nelson et Kiner était palpable. Aucun Cub n'aurait accepté de jouer au Wrigley Field face à Warren Tracey.

Ma mère jouait au tennis pas loin de la maison. Il fallait que je la prévienne au plus vite que son mari venait de perdre son job. J'ai pris mon vélo, je l'ai regardée de loin pendant un moment et lorsqu'elle a eu fini de jouer, je me suis approché d'elle au moment où elle quittait le court. Elle a mal pris la nouvelle. Non seulement il s'était fait virer, mais en plus, à trente-quatre ans, sa carrière était vraisemblablement terminée. Certes, ma mère gérait strictement les finances de la maison, mais je ne savais pas s'ils avaient mis de l'argent de côté. Warren allait se retrouver sans rien à faire, il serait bien plus souvent à la maison, et cela ne nous enchantait pas.

Notre petit monde volait en éclats. Mon père n'avait plus de travail et à son âge n'en retrouverait sans doute pas. Il buvait de plus en plus, rentrait de moins en moins souvent à la maison et se disputait constamment avec mère, qui n'arrêtait pas de faire allusion à un nouveau départ, sans lui. Nous avions changé deux fois de numéro de téléphone en raison des coups de fil anonymes et à présent nous étions sur une liste rouge. Une voiture de police stationnait régulièrement devant chez nous. Nous avions peur.

Les Cubs ont remporté deux des trois matches contre les Mets. Il n'y avait pas eu de bagarre, pas de joueurs atteints, pas d'expulsions. Les deux équipes étaient à égalité en tête du championnat de la division Est, et avec quinze matches encore à jouer, personne ne pouvait se permettre des suspensions ou des blessures.

Privés de Joe, les Cubs avaient gagné onze matches et en avaient perdu treize. Ils n'avaient plus qu'une partie d'avance au lieu de dix. Ils sombraient, dans la plus pure tradition de Chicago, tandis que les Mets prenaient l'avantage. Pour les fans des Cubs, il était clair que Joe Castle avait été victime d'un coup monté dont le but était de faire échouer l'équipe. Warren Tracey était le tueur à gages parfait, un solitaire qui ferait le boulot sans états d'âme et qu'on jetterait ensuite avec les poubelles. Seaver, Koosman et Matlack n'auraient pas à se salir les mains.

Il ne s'agissait pas juste de conversations d'ivrognes autour d'un verre, dans un bar. Une partie de la presse de Chicago avait adopté la théorie du complot et jetait de l'huile sur le feu.

On continuait d'espérer que Joe, contre toute attente, se réveillerait, quitterait l'hôpital et reprendrait les choses là où il les avait laissées. Mais chaque jour qui passait confirmait un peu plus la triste réalité. «Attendez l'année prochaine», était le leitmotiv habituel des fans des Cubs, mais en ce moment ils le pensaient vraiment. «Attendez l'année prochaine, Joe reviendra, mûri, grandi. Attendez, vous allez voir.»

Le 18 septembre, le lendemain du dernier match opposant les Mets aux Cubs, on apprenait que la veille Joe Castle était sorti du coma et avait même parlé à une infirmière. Une chaîne de télé a rapporté l'information et ma mère l'a entendue avant moi. Elle me l'a annoncée et je me suis précipité chez Tom Sabbatini pour la lui raconter. M. Sabbatini comprenait ce que j'étais en train de vivre, et il a proposé de nous accompagner à l'hôpital le samedi suivant.

Le lendemain, après l'école, je me suis rendu à la bibliothèque municipale et j'ai lu tous les articles du *Tribune* et du *Sun-Times*. L'état de Joe était toujours sérieux, mais il avait repris connaissance, parlait et s'alimentait. Red veillait sur lui, et il avait autorisé un journaliste du *Tribune* à lui poser quelques questions. Celui-ci avait demandé à Joe comment il se sentait, lequel lui avait répondu: «Je me suis déjà senti mieux.» Selon le journaliste, Joe était dans les vapes et ne répondait pas toujours quand on lui parlait. Il y avait une photo poignante, Joe, la tête bandée comme un blessé de guerre. Son œil droit, qui concentrait toutes les inquiétudes des médecins, était aussi pansé.

L'hôpital était envahi de cartes postales, de fleurs, de cadeaux et de gens qui voulaient voir Joe. Une sorte de mausolée improvisé avait été installé dans l'entrée, au rez-de-chaussée. Au centre trônait une grande photo de Joe — celle de *Sports Illustrated* — et de chaque côté il y avait de grands panneaux de liège où les fans punaisaient des notes, des cartes et des lettres par centaines. Au sol il y avait des boîtes pleines de fleurs, de chocolats et d'autres cadeaux.

Tom et moi avions chacun écrit une lettre. Je voulais attirer l'attention de Joe, alors j'avais commencé ma lettre de la manière suivante : «Cher Joe, Je m'appelle Paul Tracey, je suis le fils de Warren et je suis vraiment désolé de ce que mon père vous a fait.» Je poursuivais en lui racontant que j'avais suivi sa carrière, que je l'admirais, et que j'espérais qu'il irait bientôt mieux et pourrait jouer à nouveau.

Samedi matin, nous avons pris le train jusqu'à Manhattan. C'était une journée d'automne splendide, les arbres avaient commencé à changer de couleur et dans Central Park le vent faisait tourbillonner les feuilles mortes. Nous sommes entrés dans l'hôpital par la Cinquième avenue. Un panneau avec une flèche pointant à gauche indiquait «MUR JOE CASTLE». Nous avons trouvé le mur et accroché nos lettres, aussi près que possible de la photo. Une bénévole nous a expliqué que les lettres, les cartes et les cadeaux étaient ramassés tous les deux ou trois jours et seraient remis à M. Castle lorsqu'il irait mieux. Elle nous a remerciés pour notre visite.

— Où se trouve sa chambre ? ai-je demandé.

Elle a regardé vers le haut et a répondu :

— Au quatrième étage, mais on ne peut pas lui rendre visite.

— Comment va-t-il ?

— On me dit qu'il va mieux.

Et c'était vrai. La presse rapportait ses lents progrès, mais on estimait qu'un come-back ne serait pas possible avant longtemps. Nous sommes restés un moment, impressionnés par toutes ces lettres, ces cartes et ces cadeaux. On apercevait au loin de vastes couloirs où se déroulaient les scènes habituelles de la vie d'un hôpital. Je mourais d'envie de monter au quatrième étage et de me faufiler jusqu'à sa chambre, ça ne devait pas être bien compliqué. J'aurais pu discuter tranquillement avec lui, en tête à tête. Mais le bon sens l'a emporté.

M. Sabbatini avait grandi dans le Lower East Side, et il connaissait la ville comme sa poche. C'était aussi un fan des Yankees, mais un fan raisonnable. Il nous avait obtenu des billets, et nous sommes allés jusqu'au Bronx en métro pour nous rendre au célèbre Yankee Stadium. Ensuite nous avons assisté à un superbe match opposant les Yankees aux Orioles de Baltimore.

Tom et moi avons décidé sur-le-champ qu'il n'y avait aucune raison de se cantonner à la Ligue nationale en matière de baseball de ligue majeure. M. Sabbatini avait approuvé. Mais quelle équipe de la Ligue américaine était digne de notre soutien ?

Rien n'était plus pareil. Mes rêves avaient perdu de leur ardeur. Mon amour du jeu n'avait plus la même intensité. Avec Tom nous avons fait le tour des équipes qui nous semblaient acceptables. Il fallait tenir compte de toute une série de facteurs — les uniformes, les couleurs, la taille de leur stade, leurs résultats, leurs grands joueurs présents et passés et ainsi de suite —, mais c'était beaucoup moins amusant qu'un mois plus tôt.

M. Sabbatini nous écoutait en riant et nous prodiguait ses conseils. C'était un homme généreux, toujours disponible, toujours aimable. Il s'inquiétait pour moi. Il savait que mon monde avait été ébranlé par un tremblement de terre, et que j'en ressentais encore les séquelles. Il voulait que je sache que je pouvais compter sur lui.

Chapitre 17

À huit heures et demie du matin, je m'installe chez Wink's Waffles à une table près de la vitrine. L'endroit est plein de seniors qui abusent des calories en profitant d'une offre pour les personnes de plus de soixante-cinq ans. La serveuse n'a pas l'air contente de me voir assis à la place que j'ai choisie, mais quand je lui dis que j'attends trois autres personnes, elle me laisse tranquille. Si mes souvenirs sont exacts, je me trouve exactement à quatre tables de l'endroit où nous étions assis quatre ans plus tôt avec mes filles pour leur première rencontre avec leur grand-père paternel. Je bois mon café en lisant le journal — un œil rivé sur le parking.

À neuf heures moins cinq, une voiturette de golf surgit dans l'allée devant le restaurant. Warren est au volant, et il est seul. Il se gare à côté d'une rangée de voiturettes identiques, se lève en faisant attention et s'étire, puis se dirige vers l'entrée avec la démarche de quelqu'un qui vient de subir une opération sérieuse. Il a beau être gravement malade, on voit encore à son allure que c'était un grand athlète. Tête droite, torse bombé, pas légèrement chaloupé. Il tient une liasse de feuilles à la main, sans doute mon petit récit d'enfance sur le baseball.

Je lui fais signe de la main, et il me rejoint. Pas de poignée de main, pas de sourire. Ses yeux sont rouges et gonflés, comme s'il n'avait pas fermé l'œil de la nuit. Il rentre aussitôt dans le vif du sujet :

— Tu ne peux pas publier ce tas de merde.

— Moi, ça va bien, merci, Warren, et toi ? Tu as bien dormi ?

— Tu entends ce que je te dis ?

— Non seulement je peux le publier, mais je vais aussi le faire. Je te trouve bien insultant, peut-être ai-je touché un point sensible ? Tu ne vas quand même pas prétendre que c'est faux ?

— C'est un ramassis de mensonges.

La serveuse se dirige vers nous, et Warren commande un café. Dès qu'elle est repartie, il me dit :

— Tu veux prouver quoi, au juste ?

— Rien. Je veux seulement que pour une fois dans ta vie tu assumes les conséquences de tes actes.

— Te voilà devenu un grand sage.

— Je ne prétends pas être un sage, Warren. Tu laisses derrière toi beaucoup de choses non réglées, je t'offre la possibilité de mettre un point final à l'une d'elles avant qu'il ne soit trop tard.

— Je ne suis pas encore mort. Je ne vais pas me laisser abattre par cette saloperie, les docteurs en savent bien plus long que toi sur la question.

Je n'ai pas l'intention de le convaincre qu'il est mourant. S'il estime faire partie des cinq pour cent de chanceux qui survivent à un cancer du pancréas plus de cinq ans, ce n'est pas à moi de le contredire. La serveuse lui apporte son café et nous demande si les personnes que nous attendons vont beaucoup tarder.

— Il n'y a que nous, lui dis-je.

— Souhaitez-vous commander?

— Bien sûr. Je vais prendre une gaufre aux bleuets. Et une saucisse.

— Rien pour moi, merci, dit Warren d'un ton bougon en lui faisant signe de nous laisser. Tu penses vraiment que quelqu'un aura envie de publier cette merde? me demande-t-il.

— Tu lis *Sports Illustrated*?

— Non.

— Un de leurs journalistes s'appelle Jerry Kilpatrick. Son truc, c'est le baseball. C'est un gars de Chicago, il a mon âge et l'histoire l'intéresse — le fond de l'histoire surtout, la vérité. On n'oubliera jamais Joe Castle à Chicago, et Kilpatrick pense que mon article est formidable. Quand tu seras mort, il le sera encore plus.

— Tu ne connais pas la vérité, grogne Warren.

— Je la connais aussi bien que toi, Warren.

Il sirote son café en regardant par la vitrine et finit par lâcher:

— Tu ne sais pas de quoi tu parles. Tu ne comprends rien au baseball.

— Allons-y, tu vas me resservir le code, c'est ça? Tes petites règles non écrites dont l'une dit qu'il est légitime de viser un type à la tête pour, petit un, le punir s'il colle trop à la plaque, petit deux, se venger quand un de vos joueurs a été frappé à la tête, et petit trois remettre à sa place le type qui frime trop? J'oublie le petit quatre et le petit cinq. C'est à ça que tu penses, Warren? Si c'est ça, tu vas avoir du mal à te justifier, parce que Joe était à bonne distance de la plaque, personne n'avait touché un de vos frappeurs à la tête et Joe ne frimait vraiment pas. Tu l'as visé parce que tu lui en voulais de sa réussite et que tu aimais bien foutre la merde. Tu vas vraiment prétendre que tu avais une autre raison ? Viser les frappeurs, tu faisais ça tout le temps ! Non, je pense que tu savais que tu allais perdre face à lui, et donc tu as visé la tête. Voilà la vérité, Warren.

— T'es totalement à côté.

— Eh bien, dans ce cas, explique-moi tout, Warren. Explique-moi donc pourquoi tu ne regrettes pas d'avoir visé Joe Castle en pleine poire ?

— C'est la vie, ça fait partie du sport, le joueur de football qui se brise le cou ou s'explose le genou, le boxeur qui finit avec le cerveau en compote, le pilote de Formule 1 qui se tue dans un accident, le skieur qui finit dans un ravin. C'est comme ça. Il y a des accidents, et quand ça arrive, on ne se met pas à pleurnicher et à demander pardon comme si on y pouvait quoi que ce soit. Ce n'est pas comme ça que je conçois le sport.

Je n'ai pas envie de discuter. Je pourrais démolir sa logique tordue point par point mais ça ne servirait à rien. Nous faisons une pause et écoutons les conversations qui nous entourent. Nous sommes réunis pour la première fois depuis… — je ne sais même plus à quand remonte la dernière fois. Après son départ de la maison, je l'ai revu cinq ou six fois et il a été à l'origine de ces petites retrouvailles seulement une ou deux fois. J'en ai gros sur le cœur, et rien de ce que j'aurais à lui dire ne lui ferait plaisir. Je me retiens de lui balancer à la figure le désastre qu'il a laissé derrière lui. Je me suis promis de ne pas le malmener. Dans son état, je doute que Warren Tracey supporterait sans broncher que je lui dise son fait.

La serveuse arrive avec ma gaufre, épaisse et recouverte de crème fouettée. Je prends une bouchée de saucisse, le genre de chose que Sara ne tolérerait pas dans sa cuisine, et je repars à l'attaque :

— Donc, après trente ans, tu reconnais enfin que tu as fait exprès de viser Joe ?

— Je ne vais pas répondre, parce que tu pourrais avoir envie de l'ajouter à ton petit texte. Puisque tu as décidé de déballer nos histoires de famille sur la place publique, je ne vois pas pourquoi je te ferais confiance.

— D'accord. Et si je te promets que tout ce que tu me diras aujourd'hui restera entre nous ?

— Je ne vais pas te faire confiance pour autant.

— Ce n'est pas toi qui vas me faire la leçon sur la confiance et le sens des responsabilités, Warren. Dis-moi plutôt pourquoi tu as visé Joe Castle ?

— Il était insolent, et je n'avais pas aimé ce qu'il avait fait à Dutch Patton. Dutch et moi, on avait joué ensemble à Cleveland.

— Il n'était pas insolent, pas plus que n'importe quel autre joueur de ligue majeure. Et tu n'as jamais joué avec Dutch Patton à Cleveland. Dutch Patton n'a jamais joué avec les Indians.

Je prends une petite bouchée de mon énorme gaufre, sans le quitter des yeux. Il entrouvre la bouche, il me fixe du regard comme s'il était sur le point de me décocher un coup de poing. Puis il grimace et soupire, plié par la douleur. J'ai tendance à oublier ce qu'il est en train de vivre.

— Ça va ?

— Ça va très bien.

— Ça n'a pas l'air.

— Ne t'inquiète pas pour moi. J'ai prévu de faire une partie de golf demain.

Le changement de sujet est bienvenu. Nous parlons de golf pendant quelques minutes, et l'atmosphère se détend considérablement. Puis mon humeur s'assombrit à nouveau lorsque je me dis qu'il joue au golf depuis l'âge de six ans, qu'il a gagné l'Open du Maryland à l'âge de dix-sept ans et que pas une fois il n'a daigné jouer avec moi. Je sais tout ce qu'il faut savoir sur l'ADN et tout ça, mais l'homme assis en face de moi n'est que mon père biologique, rien de plus.

Je termine la gaufre et la saucisse, et pousse l'assiette de côté.

— Tu avais commencé à m'expliquer pourquoi tu as visé Joe à la tête. Je ne crois pas qu'on ait terminé cette partie de la conversation.

— Puisque tu te crois si malin, pourquoi tu ne me l'expliquerais pas toi-même ? aboie-t-il brusquement.

— Oh, ça, je sais très bien pourquoi tu l'as fait, Warren, je le sais depuis très longtemps. Tu avais diverses raisons, plus tordues les unes que les autres, mais comme tu le dis toi-même, c'était ta manière de jouer. Tu lui en voulais de sa réussite et de l'intérêt qu'il suscitait. Selon toi, il avait été insolent après son coup de circuit de la première manche. Tu voulais juste être le premier à le viser à la tête. Tu adorais faire ça, tu adorais provoquer des bagarres. Et en plus tu étais jaloux parce que je le vénérais, comme le vénéraient tous les gamins pendant cet été 1973. Tu m'avais cogné et tu faisais des efforts pour te racheter, pour devenir mon héros. Tu n'as pas supporté que je rêve de ressembler à quelqu'un d'autre que toi. Et je pourrais continuer longtemps, mais ça suffit comme ça. Je ne suis pas là pour essayer de me mettre à ta place, Dieu merci.

— Donc, tout ça c'était à cause de toi ?

— Ce n'est pas ce que j'ai dit. Tu es le seul à savoir pourquoi tu as fait ce que tu as fait. Ce qui est vraiment tordu, c'est que tu refuses de l'admettre. Tu mens depuis trente ans, tu n'as jamais eu le courage de reconnaître tes actes.

Je me rends compte que je suis bien plus dur que je ne l'aurais souhaité.

Ses épaules s'affaissent un peu, et des gouttes de sueur perlent sur son front. Il se pince le nez, et presque à mi-mot, il dit :

— Je regrette vraiment de t'avoir frappé, Paul.

Je lève les yeux au ciel et j'étouffe un juron.

— Tu t'es déjà excusé cent fois, Warren. Ce n'est pas pour ça que je suis là. Je ne suis pas venu te dire que tu étais nul comme père. J'ai réglé tout ça il y a longtemps.

À l'aide d'une serviette en papier, il s'essuie le visage. Son visage semble s'être vidé de son sang. Il avale une gorgée de café et me regarde fixement. D'une voix subitement faible et éraillée, il dit :

— D'accord, j'ai visé Joe, mais je te jure que je ne voulais pas lui faire de mal.

Je m'attendais à cette réponse, l'un des plus grands mensonges de l'histoire du baseball, l'une des excuses les plus lamentables de l'histoire du sport. Je secoue ma tête, feignant l'incrédulité, et lui réponds :

— Ben voyons… Je n'en reviens pas que tu oses ressortir cette vieille excuse bidon que les lanceurs utilisent depuis plus d'un siècle. Je voudrais être sûr d'avoir bien pigé, Warren. Tu vises à la face un type qui se trouve à vingt mètres de toi avec une balle qui fait peut-être du cent quarante, cent cinquante kilomètres heure, ce qui lui laisse environ un quart de seconde pour réagir. Tu le vises en espérant que la balle l'atteindra quelque part au-dessus du cou et le fera tomber à terre, si possible dans les pommes. Tant pis s'il quitte le terrain sur un brancard. Tant pis s'il rate quelques matches. Mais si tu l'amoches vraiment, tu dis : « Mince alors, je vous jure que je ne voulais pas lui faire de mal ! » Tu comprends à quel point c'est nul, Warren ? Ça te fait juste passer pour un imbécile.

Encore une fois, j'y vais sans doute un peu trop fort, mais j'ai du mal à contenir ma colère.

Il baisse la tête, semble presque acquiescer, puis regarde par la vitre. Un groupe de seniors stationne devant la porte d'entrée. L'hôtesse jette des regards de notre côté. Elle lorgne notre table, mais je ne suis pas pressé de partir.

Warren finit par marmonner :

— Ça fait partie du jeu, c'est tout.

— De ton jeu, plutôt. Tu étais un tueur à gages.

— C'est faux.

— Alors pourquoi viser la tête ? Pourquoi pas la cuisse, la taille, les hanches de Joe, n'importe quelle autre partie du corps sous les épaules ? C'est ce que dit le code, n'est-ce pas, Warren ? Le code dit qu'il faut parfois frapper un type — je comprends ça. Mais le code dit également qu'on ne vise jamais la tête. Sauf que toi, t'étais un vrai dur. C'était la tête ou rien,

— Ça suffit, Paul. Qu'est-ce que tu veux de moi ?

— Je veux que tu m'accompagnes à Calico Rock. Que tu rencontres Joe, que tu lui tendes la main, que tu lui dises ce que tu voudras, vous pourrez parler ensemble du baseball, de la vie, peu importe. Je serai là. Les frères de Joe veillent sur lui, je suis sûr qu'ils seront là aussi. C'est important pour Joe et pour sa famille. Tu ne le regretteras pas, Warren, je te le garantis. Il est temps de tourner la page. Maintenant.

Il ramasse mes feuillets et dit :

— Et si je refuse, tu publieras cette histoire dès que je ne serai plus là ?

— C'est l'idée.

Mais je me demande si le chantage était la bonne stratégie.

D'un geste vif, il déchire les pages en deux et me les jette à la figure en disant :

— Vas-y, fais-toi plaisir. Je m'en fous, je serai mort.

Il se lève, s'éloigne et fend la foule devant l'entrée, plutôt vivement pour un vieillard malade. Il grimpe dans sa voiturette, attrape le volant et se fige comme s'il était de nouveau en proie à une douleur insoutenable. Il regarde au loin et attend, perdu dans ses pensées. L'espace d'un instant, je me demande s'il a changé d'avis.

Puis il démarre et s'en va, et je me dis que je ne le reverrai sans doute jamais.

Chapitre 18

Le 23 septembre, les médecins ont publié un communiqué sur l'état de Joe. En raison des dommages subis par le nerf optique, Joe avait perdu au moins quatre-vingt pour cent de la vue du côté droit, et c'était irréversible. Selon les termes du communiqué, il y avait « très peu de chances » que Joe puisse jouer à nouveau.

La nouvelle a brisé le cœur des fans des Cubs. Leur rengaine, « Vous allez voir l'année prochaine », sonnait subitement creux. Le plus grand espoir de leur longue et frustrante histoire ne jouerait plus jamais au baseball.

Cela a aussi démoralisé les joueurs. Sans lui, l'équipe se débattait dans les problèmes, et la nouvelle a eu un effet dévastateur. L'après-midi même, les Braves d'Atlanta les avaient réduits en charpie et ils avaient perdu les trois matches suivants, ce qui les laissait deux matches derrière les Mets, lesquels étaient sur le point de remporter le championnat de la division Est. Les Mets finiraient par battre les Reds de Cincinnati et remporteraient le championnat de la Ligue nationale, le tout avec des frappeurs dont pas un n'avait une moyenne supérieure à 0,300 et des lanceurs dont aucun n'avait gagné plus de vingt parties. Au cours de cette résurrection miraculeuse, ils mèneraient la vie dure aux A's d'Oakland sept matches durant avant de perdre la Série mondiale.

La carrière miraculeuse mais tragique de Joe Castle était finie. Ses statistiques défiaient l'entendement : en trente-huit matches, il avait pris le bâton cent soixante fois, marqué soixante-huit coups sûrs, vingt et un coups de circuit, vingt et un doubles, huit triples, avait volé trente et un buts et produit quarante et un points. Sa moyenne de 0,488 était la plus haute jamais atteinte mais ne serait jamais homologuée puisqu'il n'avait pas joué assez longtemps. En revanche, d'autres records survivraient à l'épreuve du temps : 1) celui de la première recrue à avoir marqué trois coups de circuit lors de son premier match ; 2) celui de la première recrue à avoir frappé des coups sûrs lors de chacun de ses dix-neuf premiers matches ; 3) celui de la première recrue à avoir volé un but au cours de neuf matches consécutifs ; 4) celui de la première recrue à avoir volé le deuxième puis le troisième but au cours de sept matches différents ; et 5) son record le plus célèbre, celui de la première recrue à avoir frappé quinze coups sûrs de suite en quinze présences au bâton. Il était à égalité pour plusieurs autres records, dont celui d'avoir marqué quatre coups sûrs au cours de son premier match.

Mais, le 23 septembre 1973, ces chiffres n'avaient plus vraiment d'importance pour lui et ses fans.

Mon père a fini par rentrer à la maison après avoir été remercié par les Mets et lors de notre premier dîner de famille il s'est efforcé de paraître optimiste quant à son avenir. Il prétendait que plusieurs équipes l'avaient approché pour la saison 1974. Des négociations étaient en cours, des offres avaient été faites. Nous écoutions et faisions semblant de le croire, mais personne n'était dupe.

Pour ne pas rester inactif, il a repeint le garage, installé de nouvelles gouttières, réparé sa voiture et donné tous les signes de vouloir rester là un bon bout de temps.

Ma mère jouait beaucoup au tennis et cherchait du travail en cachette.

Un après-midi je suis rentré de l'école avec l'intention de repartir le plus vite possible chez les Sabbatini. Mon père regardait la télévision dans la salle de loisirs, et comme je passais par là, il m'a dit :

— Hé, Paul, t'as un peu de temps pour échanger des balles ? Il ne faut pas que je perde trop la main.

Je mourais d'envie de dire non, mais je n'ai pas osé :

— Oui, bien sûr.

Je m'étais pourtant juré de ne plus jamais échanger une balle avec mon père.

*

[...] *un endroit dégagé où nous avions installé un petit grillage pour arrêter les balles et une plaque en bois. Il m'a attrapé par le bras et m'a dit :*

— Pour commencer ; ne fais plus jamais semblant de ne pas m'entendre, tu as compris ? Je suis ton père et j'en sais mille fois plus sur le baseball que ces clowns qui font semblant d'être des coachs.

J'ai essayé de me dégager, mais il a resserré son emprise. Je sentais ses ongles s'enfoncer dans ma chair. Sa colère augmentait avec chaque seconde qui passait.

— Tu as compris ? Ne fais plus jamais ça !

— Compris, compris, je ne recommencerai pas, ai-je répondu, seulement pour ne pas prendre un coup.

Il m'a relâché et d'un doigt a soulevé mon menton.

— Regarde-moi dans les yeux ! a-t-il aboyé. Regarde-moi dans les yeux quand je te parle ! Il y a deux manières de jouer à ce jeu, la bonne et la mauvaise, et tu as tout compris de travers. Un lanceur ne se laisse jamais humilier par un joueur, tu m'entends ? Jamais ! Quel que soit ton niveau, que tu aies huit ans, ou que tu joues en ligue majeure, tu ne te laisses jamais humilier comme ça. Je vais t'apprendre comment on règle son compte à ce genre de connard. Attrape le bâton.

Je me suis installé à côté de la plaque. Il a reculé d'une quinzaine de mètres. Il avait enfilé son gant et tenait trois balles. À onze ans, sans casque, je faisais face à un lanceur des Mets, qui non seulement était furieux mais voulait en plus m'apprendre l'art et la manière de punir un joueur en le visant.

— Le code est complètement clair là-dessus, il faut qu'il paye. Donc dès qu'il reprend le bâton, ton boulot c'est de lui en coller une. Lorsqu'un gars de ton équipe se fait humilier, c'est pareil, tu dois défendre ton équipe. T'as compris ?

— Oui.

— Ma manière de faire, c'est avec trois lancers. Certains préfèrent viser le gars dès la première balle, pas moi. En général, le type se méfiera de la première balle. Moi, je leur tends un piège. Je commence par une balle rapide, trente centimètres à l'extérieur.

Il a levé la jambe et lancé une balle rapide, trente centimètres à l'extérieur. Il ne l'avait pas lancée à fond, mais j'étais un petit garçon et la balle était quand même impressionnante.

— Ne recule pas ! m'a-t-il hurlé. Deuxième lancer, identique au premier.

Nouveau lever de jambe, balle rapide, trente centimètres à l'extérieur.

— C'est maintenant que tu règles son compte à cet enfoiré. Comme il pense que je vise le coin extérieur de la zone de prises, il va se pencher un peu en avant. Et il va s'en prendre une. Je ne vais pas viser ta tête, alors ne recule pas, ok ? Vas-y, Paul, installe-toi comme un vrai joueur.

J'étais terrifié, tétanisé. Il a levé la jambe et n'a pas envoyé la balle à hauteur de la tête, ni de toutes ses forces, mais elle était puissante et m'a fait très mal en me touchant à la cuisse. J'ai poussé un cri. Il a hurlé :

— Arrête de pleurnicher, ça ne va pas te tuer ! Tu comprends ? Voilà comment on fait. D'abord deux balles rapides, et ensuite tu lances sur l'enfoiré, si possible en visant la tête.

Il a ramassé les trois balles pendant que je me massais la cuisse en m'efforçant de ne pas pleurer.

— Donne-moi ça et prends ton gant, a-t-il dit.

À présent je devais lancer tandis que lui tenait le bâton.

— Deux balles rapides à l'extérieur. Vas-y.

La première balle a atterri dans l'herbe, à un mètre de la plaque.

— Allez, Paul, vise le gant du receveur, merde, a-t-il grogné en agitant le bâton comme si c'était pour de vrai.

Ma deuxième balle était plus haute, et à l'extérieur.

— Maintenant, tu m'en mets une à la tête, a-t-il dit en faisant un pas dans ma direction. En pleine poire, ici, a-t-il précisé en tapant du doigt sur sa tempe. Vise l'oreille, Paul !

Il était à nouveau à côté de la plaque et avait repris position.

— Vas-y, n'aie pas peur, tu ne peux pas me faire mal, tu n'as pas assez de puissance.

J'étais à une dizaine de mètres, je serrais la balle dans ma main et je n'avais qu'une envie, lui fracasser les dents, le faire saigner, lui exploser le crâne, le voir étalé de tout son long. J'ai levé la jambe bien haut et j'ai lancé la balle, qui s'est dirigée pile vers le milieu de la plaque, une prise parfaite, puis a rebondi sur la grille. Il l'a ramassée et me l'a retournée en disant :

— Allez, petit merdeux, vise-moi avec cette putain de balle !

J'ai lancé une autre balle rapide, plus haute, mais toujours au-dessus de la plaque. Maintenant il était furieux, et après avoir ramassé la balle, il me l'a retournée. Il commençait à faire nuit. La balle était bien trop puissante, elle a glissé sur le bord de mon gant puis m'a frappé au torse. J'ai poussé un cri et j'ai commencé à pleurer. Il était déjà sur moi et hurlait :

— Si tu ne m'envoies pas cette balle dans la tronche, je vais te coller une raclée, tu m'entends ?

Il est retourné à la plaque et j'ai levé les yeux vers la maison. Au premier étage, Jill nous épiait derrière les rideaux de sa chambre.

Ma troisième tentative était aussi ratée que les deux premières. Le lancer était haut placé et à l'intérieur ; mais pas assez pour lui faire mal comme je l'aurais souhaité. Pour bien montrer son mépris, il a levé la main gauche et attrapé la balle au sol, à mains nues, la pire des insultes pour un lanceur ; mais je m'en moquais. Je voulais juste en finir avec ce cinglé. Il a jeté le bâton par terre et s'est rué sur moi.

— Tu es un lâche, Paul, tu le sais ? Tu n'es qu'un lâche. Il en faut du cran, pour viser un joueur ; et un lanceur n'a pas le choix.

— Mais je joue dans une petite ligue, ai-je réussi à dire.

— C'est la règle, quelle que soit la ligue !

J'étais sans doute trop petit pour qu'il ose me donner un coup de poing, alors il m'a giflé de toutes ses forces, du revers de la main gauche — pour ne pas abîmer sa bonne main, celle avec laquelle il lançait, bien sûr. J'ai hurlé et suis tombé par terre, mais au moment où il m'attrapait par le col, j'ai entendu ma mère rugir :

— Éloigne-toi de lui tout de suite, Warren !

Elle était à côté de nous, un bâton à la main, sans doute pour la première fois de sa vie. Jill se cachait derrière elle.

Pendant un instant, tout le monde est resté figé sur place puis, saisissant l'occasion, je me suis enfui.

— Lâche ce bâton, a dit mon père.

— Tu l'as frappé au visage. Tu n'es qu'une brute.

— Il l'a frappé avec la balle aussi, ajouta Jill.

— Ferme-la, lui a intimé mon père.

Quelques secondes sont passées et chacun a repris sa respiration. Nous nous sommes dirigés lentement vers la maison, en nous surveillant mutuellement, attentivement. Mes parents se sont enfermés dans la salle de loisirs, au sous-sol et se sont engueulés pendant un bon bout de temps, puis Warren a fini par partir.

(Extrait de *La fin tragique de Joe Castle*
par Paul Tracey, fils de Warren Tracey)

Chapitre 19

Pour tuer le temps en attendant ma correspondance à l'aéroport d'Atlanta, j'appelle Clarence Rook. Je l'ai quitté il y a à peine vingt-quatre heures, mais j'ai l'impression que ça fait un siècle.

— Devinez qui m'a appelé hier soir, dit-il.

— Charlie ou Red?

— Charlie. Pour me dire que Joe lui avait raconté que je m'étais pointé avec un inconnu. Il voulait juste s'assurer que tout allait bien. C'est ce qu'il a dit: «Clarence, tout va bien?» J'ai répondu: Mais oui, bien sûr, tout va bien Charlie, c'était un de mes neveux du Texas qui voulait voir le terrain.

— Pourquoi ne pas avoir dit la vérité?

— Eh bien, c'est ce que j'ai fait, mais après. J'ai réfléchi, j'en ai parlé à Fay, j'ai rappelé Charlie et je lui ai dit que j'avais quelque chose d'important à leur raconter, alors pourquoi ne pas prendre un café ensemble le lendemain? On s'est vus ce matin, dans un endroit tranquille, au nord de la ville. Je leur ai tout raconté, vous, votre visite, et ainsi de suite.

Il s'interrompt, ce n'est pas bon signe.

— Laissez-moi deviner : ça leur est bien égal que Warren Tracey soit mourant.

— En effet.

Une autre pause, pas bon signe non plus.

— Et l'idée d'une rencontre avec Joe ? Comment l'ont-ils accueillie ?

— Pas vraiment bien, du moins au début. À dire vrai, même votre visite ne leur a pas trop plu.

— Je vais me faire canarder si je reviens ?

— Je ne le crois pas. Ensuite, ils se sont laissé amadouer un peu, ils ont même promis d'en parler à Joe pour voir ce qu'il en dirait. Je n'ai pas insisté davantage, après tout ce n'est pas mes oignons. Et vous ? Comment s'est passée la rencontre avec votre père ?

Je décide de présenter les choses sous un angle positif.

— La porte s'est entrebâillée. Nous avons eu une discussion assez franche, beaucoup de vieilles histoires de famille, rien qui puisse vous intéresser. Le problème, c'est qu'il est en plein déni : tant qu'il n'acceptera pas la réalité de sa mort prochaine, ça sera difficile de le convaincre.

— Pauvre type.

— Mouais. J'ai un peu de mal à ressentir de la pitié pour lui.

Je lui demande des nouvelles de Fay, puis la conversation s'étiole. Une heure plus tard, je suis à bord de l'avion pour Dallas.

Ma famille m'attend pour dîner quand je finis par arriver à la maison, tard. Les filles n'ont pas la moindre idée de ce que j'ai fait ni d'où je suis allé, et nous parlons donc du week-end de camping que nous projetons de passer dans les montagnes. Mais Sara veut savoir. Quand le repas est fini et que les filles sont parties se coucher, je lui raconte mon voyage en débarrassant la table.

— Et maintenant ? me demande-t-elle.

— Je n'en sais rien. Je vais peut-être laisser passer une ou deux semaines puis le rappeler pour prendre de ses nouvelles, peut-être lui reparler de Joe.

— Comment dis-tu déjà, mon chéri ? Je ne suis même pas à mi-chemin…

— Du premier but. Ouaip, ça décrit assez bien la situation. Warren fait encore le fier-à-bras, il pourrait mourir sans rien lâcher. Et c'est sans doute ce qui va se passer.

— Tu ne regrettes pas d'y être allé ?

— Non, pas du tout. J'ai vu Joe Castle, même si c'était de loin, et je me dis qu'il va aussi bien que possible. J'ai vu Warren, ce qui ne représente plus grand-chose pour moi à présent, mais un jour je verrai peut-être les choses sous un autre angle. Mais surtout, j'ai bu de l'eau-de-vie à la pêche des monts Ozark.

— Qu'est-ce que c'est ?

— Un produit clandestin du coin.

— Ils boivent ça à table ?

— Non, c'est un digestif, du moins chez les Rook. C'est Clarence qui dit ça, « un digestif ».

— Ça ressemble à quoi ?

— Des flammes en bouteille.

— Ça m'a l'air délicieux. Rien d'autre de palpitant ?

— Pas vraiment.

— Tu vas appeler Jill ?

— Pas ce soir. Plus tard, peut-être. Je ne pense pas qu'elle ait envie d'entendre parler de Warren.

Une semaine plus tard, je quitte mon bureau à l'heure du déjeuner et me rends en voiture jusqu'à un complexe sportif de la ville qui dispose de plusieurs terrains de baseball. C'est là que la plupart de mes amis coachent leurs enfants dans les différentes ligues pour jeunes. À part le personnel d'entretien, l'endroit est désert. La saison est terminée. J'escalade les tribunes du « terrain principal », comme on l'appelle, du fait de sa forme de diamant aux dimensions réglementaires, et de son mur d'enceinte à cent vingt mètres de distance. Je m'installe à l'ombre de la tribune de la presse, et j'avale un sandwich au poulet.

Nous sommes le 24 août 2003. Il y a trente ans jour pour jour, je me trouvais au Shea Stadium avec ma mère lorsque mon héros, Joe Castle, s'est dirigé vers la plaque pour affronter mon père. Les images remontent lentement à la surface et j'entends à nouveau le bruit de la balle contre la tête de Joe. L'horreur, le chaos, la peur, l'ambulance, puis la bagarre et ses suites. Joe avait une triple fracture du crâne et une pommette défoncée. Il saignait par les oreilles et les médecins ont d'abord cru qu'il était mort.

Aujourd'hui, tout cela est bien loin. Ce jour-là, deux carrières ont pris fin et je réfléchis encore aux conséquences que cela a eues pour moi. Les cœurs de millions de personnes ont été brisés, je ne suis pas le seul à en avoir souffert. Mais j'étais le seul, à part mon père, à savoir que Joe Castle allait se faire descendre.

Je me demande si Joe commémore cette date d'une manière ou d'une autre. Je me demande s'il est assis sur les gradins de son terrain de baseball, seul, s'il se remémore la tragédie, s'il songe à ce qui aurait pu être. Est-il amer ? À sa place, je pense que je le serais. Trente ans ont passé, et ma gorge se serre encore lorsque je songe à l'injustice du coup qui lui a été porté, à lui et à sa belle carrière.

J'imagine que cette date ne signifie rien pour Warren Tracey. Il n'y pense plus depuis longtemps. En ce moment précis, il doit être en train de jouer au golf. Comme il me l'a dit : « Le sport, c'est comme ça. Parfois, c'est moche. »

J'ai fini mon sandwich, mais je ne bouge pas. Je continue à réfléchir à la manière dont je pourrais tourner définitivement la page. Peut-être n'est-ce pas possible.

Deux semaines passent. Les filles retournent en classe, et je m'absorbe dans mon travail. Notre vie reprend son cours, normale et heureuse, et j'oublie progressivement mon idée d'une rencontre à Calico Rock. Un soir, le téléphone sonne, et Rebecca, ma fille de dix ans, répond. Elle entre dans la salle de loisirs et m'annonce :

— Papa, c'est un M. Warren, il voudrait te parler.

Sara et moi nous nous regardons. Aucun de nous deux ne se souvient quand Warren a appelé pour la dernière fois.

— C'est qui, Warren ? demande Rebecca.

— C'est ton grand-père, dit Sara tandis que je me dirige vers la cuisine.

L'appel ne semble pas avoir de motif précis. La voix de Warren est faible et chevrotante, il me dit que la chimiothérapie, ce n'est pas marrant. Il n'a plus d'appétit, il maigrit et perd ses cheveux. Agnès le conduit à l'hôpital deux fois par semaine pour le traitement, deux heures dans une salle déprimante en compagnie d'une dizaine d'autres patients branchés à leurs perfusions.

Il me surprend en me demandant :
— Comment va la famille ?

Lorsque Sara pénètre dans la cuisine et m'entend parler de nos enfants avec Warren, elle n'en revient pas. Il m'apprend qu'il a appelé Jill un peu plus tôt mais qu'il n'y avait personne.

Warren Tracey appelle ses enfants. Il doit être en train de mourir.

Chapitre 20

Une fois par semaine, j'appelle Clarence Rook pour prendre de ses nouvelles, mais avec le temps les conversations deviennent de plus en plus brèves. Il ne se passe pas grand-chose à Calico Rock, au point que je me demande comment il fait pour remplir les pages d'un journal même une fois par semaine. De temps à autre j'appelle Warren, non pas que je me soucie vraiment de son état, mais plutôt pour lui rappeler que j'attends quelque chose de lui. Le nom de Joe Castle n'est jamais mentionné.

La deuxième semaine d'octobre, je suis en pleine réunion avec mon patron et mes collègues, lorsque mon téléphone portable se met à vibrer. Dans notre société, ce n'est pas un crime de recevoir un appel sur un portable au cours d'une réunion importante. Je sors dans le couloir : c'est Agnès. Warren est à l'hôpital, hémorragie interne, chute de tension, évanouissements. Les médecins viennent de faire un autre scanner, le cancer s'est propagé rapidement, il y a des métastases partout, au foie, aux reins, à l'estomac et, pire que tout, au cerveau. Il a maigri de vingt kilos. Elle pense que Warren est enfin en train d'admettre que son cancer va le tuer.

Je ne sais pas quoi lui dire. Je connais à peine cette femme, et guère mieux son mari. J'exprime mes regrets, c'est un peu forcé, et je promets de la rappeler le lendemain. Ce que je fais, mais je tombe sur un répondeur. Trois jours plus tard, alors que je rentre à la maison en voiture, c'est Warren qui m'appelle sur mon portable. Il m'annonce qu'il est rentré à la maison, qu'il va beaucoup mieux, qu'il a changé de médecins parce que les autres étaient des crétins, et qu'il n'a pas encore dit son dernier mot. Au début de notre brève conversation, il a l'air alerte, vif, plein d'entrain, mais la ruse ne dure pas longtemps. À la fin, sa voix est faible et il a du mal à articuler. Je débite ma courte liste de choses à dire, je suis presque arrivé à la fin lorsqu'il dit:

— Tu sais Paul, j'ai réfléchi à ton idée de voyage dans l'Arkansas.

— Ah bon, vraiment? dis-je en évitant de montrer la moindre trace d'enthousiasme.

— Oui, l'idée me plaît bien. Je ne suis pas sûr que les médecins seront d'accord, mais je veux bien tenter le coup.

— D'accord, Warren. Je vais passer quelques coups de fil.

Le pire, ça sera le long voyage en voiture, Warren, moi et ce passé pesant qui nous unit et nous sépare en même temps.

Nous devons nous retrouver à l'aéroport de Little Rock, où j'arrive deux heures avant lui. Je déjeune, je tue le temps, je travaille sur mon ordinateur portable, installé à un endroit où je peux guetter les passagers qui débarquent. C'est un petit aéroport agréable, la lumière est naturelle et il n'y a pas grand monde.

Lors de notre dernière conversation, Warren m'a expliqué que les médecins ne voyaient pas ce voyage d'un bon œil, mais cela n'a fait que renforcer sa détermination. Il a fini par admettre que son cancer est en phase terminale et il a interrompu tout traitement.

— Je ne pense pas être là pour Noël, Paul, m'a-t-il déclaré, comme si les fêtes avaient la moindre importance pour lui.

Les fêtes de fin d'année. Quand j'avais huit ans, il était parti au Venezuela pour des matches d'hiver et n'avait pas montré le bout de son nez pour Noël. Avec Jill, on avait déballé nos cadeaux au pied du sapin avec ma mère qui n'arrêtait pas de pleurer. Je me demande si Warren se souvient de toutes ces choses.

Je l'aperçois au milieu d'un groupe de passagers en provenance d'Atlanta. Il porte une casquette car il n'a plus de cheveux et marche d'un pas lent mais assuré. Il s'est transformé en un vieux monsieur chétif avec une taille de jeune fille et une poitrine creuse. Il tire une petite valise à roulettes et me cherche du regard.

J'ai failli louer une voiture hybride pour des raisons écologiques, mais j'ai réalisé que nous serions à l'étroit, collés l'un contre l'autre, des heures durant. J'ai donc opté pour un 4 x 4 avec le plus de place possible entre les sièges. C'est à peine si nous échangeons quelques mots en laissant Little Rock derrière nous.

Il a vieilli de dix ans en quelques mois et je comprends mieux pourquoi ses médecins sont opposés à ce voyage. Il s'assoupit régulièrement et pendant un long moment ne dit pas un mot, puis il finit par ouvrir la vitre en grand et lance :

— Nom de Dieu, que c'est bon d'être loin d'Agnès !

Je ris — en même temps que je me demande dans quelle direction imprévue va s'engager cette conversation. Je lui demande :

— C'est ta combientième épouse, au fait ? La cinquième ? La sixième ?

Il compte mentalement puis dit :

— La cinquième. Karen était la numéro quatre. Florence la numéro trois. Daisy la numéro deux. Ta mère, la première.

Impressionnant, et tu t'en souviens.

— Il y a certaines choses qu'on n'oublie pas.

— Tu as une préférée ?

Il réfléchit un bon moment avant de répondre.

Nous sommes sur une route à deux voies bordée de champs.

— Je n'ai jamais aimé personne comme j'ai aimé ta mère, du moins au début. Mais on était trop jeunes pour se marier. Donc, en ce qui concerne l'amour, ta mère. Pour ce qui est de l'argent, Florence, forcément. Pour le sexe, c'est Daisy qui remporte la palme.

— Désolé, la question était peut-être trop personnelle.

— Daisy était stripteaseuse. Elle avait un de ces corps…

— Tu nous as plaqués pour une stripteaseuse ?

— Tu ne dirais pas ça si tu l'avais vue sur scène.

— Ça a duré longtemps ?

— Non. Enfin, je ne sais plus. Et je ne vous ai pas plaqués pour une stripteaseuse. Le mariage avec ta mère était fini bien avant que je rencontre Daisy.

— Dans une boîte de strip-tease ?

— Évidemment. Où veux-tu rencontrer des stripteaseuses ?

— Je n'en ai pas la moindre idée. Je n'ai aucune expérience dans ce domaine.

— Tant mieux pour toi.

— As-tu jamais été fidèle quand tu étais avec maman ?

Il hésite un moment, puis répond :

— Non.

— Pourquoi ?

— Je n'en sais rien, répond-il avec une pointe d'agacement. Pourquoi les hommes sont-ils ce qu'ils sont ? Pourquoi flambent-ils au jeu, pourquoi se tuent-ils en buvant, pourquoi épousent-ils des bonnes femmes timbrées ? Qu'est-ce que j'en sais, moi ! Tu m'as traîné jusque dans le fin fond de l'Arkansas pour me demander pourquoi je courais les filles ?

— Non, pas du tout. Je m'en fiche, à présent.

— Comment va ta mère ?

— Elle va bien. Je la vois plusieurs fois dans l'année. Elle est toujours aussi belle.

Je manque d'ajouter qu'elle est bien plus belle qu'Agnès mais me retiens au dernier moment.

— Elle sait que je suis malade ?

— Oui, je le lui ai dit en août, dès que je l'ai appris.

— J'imagine que ça ne lui fait ni chaud ni froid.

— Ça t'étonne ?

Il prend une grande inspiration, puis s'assoupit à nouveau. J'implore silencieusement le ciel pour qu'il fasse une longue sieste de deux heures. Son cancer est particulièrement douloureux et quand il est éveillé il a l'air de souffrir. Il a des médicaments antidouleur dans la poche de sa chemise.

Nous avons parlé de ses mariages, ce que je m'étais juré d'éviter. Après sa petite sieste, je touche le jackpot avec une question toute bête :

— Tu as joué dans l'Arkansas?

— Oh oui! Quand je jouais dans la Ligue du Texas, on affrontait les Travellers de l'Arkansas plusieurs fois par an. Un superbe terrain à l'ancienne dans le centre-ville de Little Rock. Super public.

Le portail de sa mémoire s'ouvre en grand, et il reprend vie. Parties oubliées, vieux camarades, histoires étranges, humour de vestiaire, virées nocturnes, tout ce qui fait le quotidien des joueurs la ligue, Le baseball des ligues mineures nous occupe durant de longs kilomètres. Mais Warren se fatigue facilement et s'interrompt soudain pour boire un peu d'eau et fermer les yeux. Il s'assoupit, puis se réveille et une autre histoire lui vient à l'esprit.

Pendant sa longue et difficile carrière, il a joué dans des dizaines de petits patelins dont il ne se souvenait même plus du nom. Voilà qu'ils lui reviennent à l'esprit, dans un déferlement d'histoires. Je suis surpris de découvrir que Warren est un excellent conteur, et qu'il maîtrise l'art de tenir en haleine. Plus il raconte d'histoires, plus il lui en vient d'autres.

Pourquoi ne m'a-t-il jamais parlé de tout ça?

Nous ne mentionnons ni Joe Castle ni le but de notre excursion.

Il tousse, grimace, avale quelques cachets puis s'endort à nouveau. Nous avons atteint les contreforts des monts Ozark, et la nuit commence à tomber.

Tout près de Mountain View, à une heure environ de Calico Rock, je repère un motel qui a l'air propre et agréable. Nous prenons deux chambres simples, que je règle en liquide. Warren n'a pas faim, il veut s'allonger. Je commande un hamburger dans un fast-food et je le mange dans ma chambre, seul.

Chapitre 21

Clarence nous attend dans les bureaux du *Calico Rock Record*. La matinée est splendide, lumineuse, l'air est léger et frais, rien à voir avec la chaleur étouffante du mois d'août. Il est neuf heures, Main Street s'anime à peine. Warren a dormi dix heures d'affilée et dit se sentir bien.

— Je suis désolé pour votre maladie, monsieur Tracey, dit Clarence, après lui avoir serré la main.

— Merci. Appelez-moi Warren, s'il vous plaît.

— Bien sûr. Puis-je vous offrir un café ?

Nous nous retrouvons dans le fatras du bureau de Clarence, autour du café matinal. Clarence nous fait part de ses dernières tractations avec le clan Cas de. Ils n'ont pas vraiment dit oui, mais ils n'ont pas dit non, non plus. Il pense que si nous nous rendons sur le terrain de baseball, tout simplement, les choses se passeront bien. Depuis le début, Warren et moi savons que la rencontre n'aura peut-être pas lieu, mais nous avons décidé de tenter notre chance. Au téléphone, Warren m'a dit que même si Joe n'avait pas envie de le voir, le simple fait d'avoir essayé lui ferait du bien.

Nous montons dans la voiture de Clarence et nous dirigeons vers le lycée. Joe est perché sur sa tondeuse sur roues, laquelle va et vient lentement sur le terrain en taillant méticuleusement une pelouse qui n'en a pas besoin. Nous sommes en octobre, et le gazon est brun par endroits. Deux hommes plus âgés sont assis dans l'abri du troisième but. « Red et Charlie », dit Clarence lorsque nous nous installons dans les tribunes pour assister au spectacle de Joe Castle en train de tondre la pelouse. Il n'y a personne d'autre dans les parages. Il est presque dix heures et au loin le lycée est le siège d'une certaine agitation.

— Il fait ça tous les jours ? demande Warren.

— Cinq jours par semaine tant que la météo le permet, répond Clarence. De mars à novembre.

— C'est un bien beau terrain, dit Warren.

— Chaque année un concours récompense le plus beau terrain de l'État. Je ne sais plus combien de fois on l'a gagné. Ça doit aider, je suppose, d'avoir un préposé à temps plein.

Après quelques passages, Joe relève les lames et se dirige vers l'abri. Il éteint le moteur, descend de la tondeuse et échange quelques mots avec ses frères. L'un d'eux sort de l'abri avec deux chaises pliantes et se dirige droit vers la plaque.

— Ça, c'est Red, précise Clarence à voix basse.

Red dispose les chaises devant la plaque, tournées vers le monticule, et lorsqu'il s'estime satisfait, il se dirige vers nous, puis s'arrête et dit :

— Monsieur Tracey ?

— Je pense qu'il s'agit de toi, dis-je à Warren.

Celui-ci se lève et descend lentement vers le terrain. Il est rejoint par Red, qui lui tend la main et dit :

— Je suis Red Castle. Ravi de faire votre connaissance.

Ils échangent une poignée de mains et Warren dit :

— Merci pour tout ça.

Joe se dirige lentement vers les chaises, sa canne heurtant le sol devant lui, ses pieds exécutant leur petite danse triste. Son bras gauche pend le long de son corps et il tient la canne dans sa main droite. Arrivé à hauteur de mon père, il s'arrête et tend la main. Warren la prend dans les siennes et dit :

— Je suis heureux de te rencontrer, Joe.

Lorsque Joe s'exprime, sa voix est haut perchée et hachée, comme s'il savait exactement ce qu'il voulait dire mais avait du mal à articuler les mots :

— Merci… d'être… venu.

Ils s'installent sur les chaises et Red retourne à l'abri.

Leurs épaules se touchent presque, et ils restent un moment à regarder le terrain, sans rien dire.

— Tu as un bien beau terrain, Joe.

— Merci.

De là où nous sommes, nous ne pouvons pas entendre ce qu'ils se disent, pas plus que Red et Charlie, qui sont installés dans l'abri.

— On est bien loin du Shea Stadium, chuchote Clarence.

— Mille kilomètres et mille années-lumière. Merci d'avoir organisé ça.

— C'est vous qui avez tout fait, Paul, pas moi. Je suis ravi d'être là, c'est un rêve de journaliste. Vous savez combien de mordus de baseball seraient prêts à tout pour être à notre place ?

Je hoche la tête :

— Deux ou trois millions, rien qu'à Chicago.

Joe dit :
— Désolé… pour… ton… cancer.
— Merci, Joe. C'est la faute à pas de chance. La chance, parfois elle est de ton côté, parfois pas.

Joe acquiesce. Il en sait un rayon sur le sujet. Une minute passe, tandis qu'ils se demandent comment poursuivre la conversation.
— Et si on parlait baseball, Joe ? Après tout, je suis venu pour ça.

Joe hoche à nouveau la tête :
— D'accord.
— Tu penses souvent à ce qui s'est passé au Shea Stadium, la dernière fois qu'on s'est vus ?
— Pas… vraiment… Me… souviens… pas… trop.
— Je t'envie. Moi, je m'en souviens comme si c'était hier. Ce soir-là, je t'ai visé, Joe. Je voulais te rabattre le caquet, te remettre à ta place, ce genre de conneries, et je t'ai visé de toutes mes forces. J'ai fait exprès, Joe. Depuis, il ne s'est pas passé un jour sans que je le regrette. Je suis désolé, Joe. Je voulais te présenter mes excuses. Je t'ai fait une saloperie, c'était mesquin, totalement crétin, et ça a détruit ta carrière, qui aurait dû être exceptionnelle. Voilà, je te l'ai dit. Je suis vraiment désolé, Joe.

Joe hoche la tête et finit par dire :
— Ça… va… ça… va.

Mais rien ne peut arrêter Warren à présent, il veut soulager sa conscience.
— Je voulais te faire mal Joe, mais je n'avais pas réfléchi à toutes les conséquences terribles que ça aurait. Je sais, ça a l'air stupide. Tu vises un type en pleine poire avec une balle rapide et en même temps

tu te dis que tu n'as pas vraiment l'intention de lui faire du mal. C'est stupide, je sais. Je suis un stupide crétin.

— Ça… va… ça… va.

Il y a un blanc dans la conversation et les deux hommes regardent au loin. Warren dit :

— Tu te souviens de ta première présence au bâton, ce soir-là ? Tu te souviens de ton coup de circuit ?

— Je… me… souviens… de… tous… mes… coups… de circuit.

Warren esquisse un sourire. Un frappeur typique, se dit-il.

— Tu as renvoyé en fausses balles huit lancers consécutifs. Je n'avais jamais vu personne d'aussi vif que toi. J'ai lancé des balles rapides, des balles courbes, des changements de vitesse, des balles glissantes, et à chaque fois tu attendais le dernier millième de seconde avant de les dégager. Le lancer de ton coup de circuit était à dix centimètres de la plaque. Je pensais t'avoir bien eu, mais tu as rattrapé le coup et renvoyé la balle à plus de cent trente mètres. C'est à ce moment-là que j'ai décidé de te le faire payer. Je me suis dit, bon, tu ne pourras pas le retirer, alors tu vas l'intimider. Tu vas lui faire peur. Ça lui fera les pieds.

— C'est… le… jeu.

— Peut-être bien. Ça arrive que des joueurs soient touchés à la tête, mais c'est rare que ce soit vraiment grave. Le seul à en être mort, c'est Ray Chapman, en 1920. Mickey Cochrane, lui, n'a plus jamais joué après. Et Tony Conigliaro aurait fait partie du Temple de la renommée, c'est sûr, s'il ne s'était pas pris une balle dans l'œil. Je l'ai tapé un jour, tu savais ?

— Tony C. ?

— Ouaip, ça s'est passé en 1965. Je lançais pour les Indians de Cleveland. Tony s'avançait trop sur la plaque, il n'avait vraiment pas froid aux yeux. Je lui en ai mis une à l'épaule, et ça ne m'a fait ni chaud ni froid. Tu le sais bien, Joe, parfois on n'a pas le choix, il faut taper. Mais jamais pour faire mal, jamais tu ne vises un gars en pleine poire, ce n'est pas du jeu. Le type a une famille, une carrière. Je n'aurais pas dû.

— T'en… as… frappé… du… monde… dis… donc. Warren respire profondément puis change de position sur sa chaise. Il a avalé un cachet contre la douleur une heure plus tôt, et l'effet est en train de se dissiper.

— C'est vrai, et j'ai des remords à revendre, Joe. Quand je serai mort, on ne dira pas que j'étais un père et un mari minable. On ne s'attardera pas sur ma carrière très moyenne de joueur professionnel. Non. On parlera d'un seul de mes lancers : celui que je t'ai mis en pleine poire. J'ai lancé un million de balles, mais la seule dont on se souviendra, c'est celle qui t'a atteinte. Et celle-là, je la regretterai jusqu'à la fin des temps.

— Et… moi… donc…

Les deux hommes trouvent la réplique amusante, et rigolent doucement.

— Tu as le droit de me détester, Joe. Je t'ai tout pris. En un clin d'œil, ta carrière était finie, et je suis le seul responsable. Ça me ferait du bien, vu que la fin approche pour moi, de savoir que tu ne me détestes pas. C'est trop te demander ?

— Je… ne… déteste… personne.

— Même pas moi ? Allez, Joe, tu as forcément eu envie de me trucider.

183

— Au début… mais… plus… maintenant… Tu… répétais que… c'était… un… accident… et… je… voulais… te croire.

— Je racontais des histoires, Joe. Ce n'est pas vrai, ce n'était pas un accident. J'ai menti pendant trente ans. Maintenant que je t'ai dit la vérité, tu ne me détestes toujours pas ?

— Non… Tu… t'es… excusé… j'accepte… tes… excuses.

Warren pose sa main sur l'épaule gauche de Joe et dit :

— Merci, Joe. Contrairement à moi, tu es un mec bien.

— Et… je… te… prends… au… bâton… quand… tu… veux !

Warren s'esclaffe, et Joe rit avec lui.

Nous les regardons de loin et sommes surpris de les voir rire ensemble. Je suis bien placé pour savoir que Warren Tracey n'a aucun sens de l'humour. Joe a dû dire quelque chose de vraiment drôle.

— On dirait que ça se passe bien, constate Clarence.

— Ça ne peut pas se passer autrement. Si ça tournait à la bagarre, Warren serait seul contre tous.

— Personne n'a envie d'en découdre. Hier, Charlie m'a dit qu'il trouvait admirable ce que votre père a choisi de faire.

— Qu'est-ce qui les faisait hésiter, dans ce cas ?

— Deux choses. Ils avaient peur que ça déstabilise Joe, que ça lui fasse revivre un tas de choses déplaisantes. Et ils ne voulaient pas qu'il y ait de fuites et que ça se retrouve dans la presse. Je leur ai garanti que ça n'arriverait pas. J'ai bien fait ?

— Évidemment.

— Donc, comment avez-vous fait chanter votre père pour le convaincre ?

— Je n'ai pas réussi à le faire chanter. Il est là parce qu'il l'a décidé. C'est un coriace, et il a fallu l'approche de la mort pour le ramollir. Il laisse derrière lui une vie merdique, et tout un tas de regrets.

— Je n'aimerais pas mourir comme ça.

— Moi non plus.

Joe se tourne vers l'abri et dit :

— Charlie… Red…

Ses frères le rejoignent. Warren se lève, se tourne vers nous et nous fait signe de descendre.

Nous nous retrouvons devant la plaque, et je serre la main de Joe Castle. Il porte une casquette, et son œil abîmé est caché par des lunettes de soleil. Ses cheveux sont poivre et sel et il n'a plus rien du gamin dont le sourire illuminait les couvertures des magazines. Mais qui peut se targuer de ressembler à celui qu'il était trente ans plus tôt ?

Charlie et Red ont l'air sympathiques, mais restent sur leur quant à soi.

À ma demande, Clarence a apporté son appareil photo, et j'explique aux frères Castle que j'aimerais prendre quelques clichés de la rencontre.

— Vous comptez les publier ? demande Red.

— Jamais sans votre accord.

Charlie et lui se méfient, mais me laissent faire.

À ma surprise, Clarence a apporté quelque chose d'autre. Il tire d'une des poches de son manteau un petit sac en plastique qui contient deux casquettes de baseball : une des Cubs et une des Mets. Il les tend à Joe et Warren et leur dit :

— J'ai pensé que ça serait une bonne idée pour la photo.

Joe regarde la casquette en fronçant les sourcils, tout comme Warren. Ils hésitent, comme si cela ravivait trop de vieux souvenirs. Clarence fini par faire marche arrière, de peur de faire capoter la réunion :

— C'était juste une idée comme ça.

Mais Joe enlève sa casquette qui arbore une publicité pour un magasin d'horticulture et enfile la casquette des Cubs. Comme tout joueur de baseball, il passe un petit moment à l'ajuster et la positionner. Warren enlève aussi sa casquette. Nous découvrons les stigmates de la chimiothérapie : sa tête est lisse comme une boule de billard. Cela nous rappelle qu'il n'en a plus pour longtemps.

Une fois les casquettes en place, nous nous éloignons et Clarence prend les photos. Les deux joueurs sourient, Joe prend appui sur sa canne. Puis Clarence a une idée. Il suggère de prendre une photo devant le panneau d'affichage sur lequel est écrit « Joe Castle Field ». Après une dizaine de clichés devant ce décor, je prends place entre mon père et mon héros d'antan, tout sourire.

C'est le cliché qui fermera mon album Joe Castle.

Et soudain, c'est fini. Ils se sont rencontrés, mon père a dit ce qu'il avait à dire, ils ont posé pour des photos. Nous leur disons au revoir et quittons le terrain.

Sur le chemin du retour, Clarence nous invite à déjeuner chez lui, si le cœur nous en dit. Je regarde Warren dans le rétroviseur, et depuis le siège arrière il dit non de la tête. Comme je ne veux pas vexer Fay ou Clarence, j'invente un prétexte :

— Ça nous aurait fait vraiment plaisir, mais nous devons prendre la route, l'avion de Warren est à seize heures.

Je fais cela sans états d'âme, j'en ai assez de Calico Rock. Et tels que je connais les Rook, je suis sûr qu'on passera l'après-midi sur la véranda à échanger des souvenirs, à prendre des photos. Et à boire du gin-citron.

— Pas de problème, je comprends, répond Clarence.

Il se gare et nous nous disons au revoir. Je le remercie de nouveau, et il renouvelle à Warren ses vœux de guérison. Je promets de le tenir au courant.

À peine sortis de Calico Rock, Warren, qui se tait depuis un bon moment, me demande de me ranger sur le bas-côté de la route. Il descend et s'installe sur le siège arrière, où il s'endort aussitôt. Le voyage et la rencontre avec Joe l'ont épuisé, et il accuse le coup.

Il porte encore la casquette des Mets.

Chapitre 22

Selon la météo, le ciel est parfaitement dégagé de Santa Fe jusqu'à la Floride en passant par Little Rock. Pourtant nos deux vols ont du retard. Warren s'étiole et je veux le renvoyer vers Agnès avant que les choses ne se gâtent, car je ne me vois pas faisant face à une urgence. À cause des retards, l'aéroport est bondé, et nous passons quelques heures à faire les choses sans intérêt que font tous les passagers en stand-by.

Pendant l'après-midi, alors qu'il était encore en forme et avait envie de parler, notre conversation a été plutôt insouciante. Nous n'avons pas mentionné Joe. Je ne le fréquente plus depuis trop longtemps pour pouvoir jauger son humeur et ses pensées, mais il est évident qu'il songe à sa mort, ce qui est normal pour quelqu'un dans son état. Je suis sûr qu'il a des remords, mais je n'ai pas envie de m'engager dans cette voie. Aucune excuse de la onzième heure ne pourra arranger notre histoire compliquée, il le sait aussi bien que moi. Il n'a peut-être pas envie de s'y essayer d'ailleurs, mais moi je ne suis certainement pas disposé à entendre ce qu'il aurait à dire.

Son appétit va et vient, et quand il m'annonce «J'ai faim», nous dénichons une petite table dans le restaurant bondé de l'aéroport. Lorsque la serveuse nous demande qu'est-ce que nous voulons boire, Warren sourit et dit: «Un demi-pression, s'il vous plaît.» Je commande la même chose et lorsque la serveuse s'éloigne, il me dit:

— Je n'ai pas bu une goutte d'alcool depuis dix ans. Il me reste deux mois à vivre, pourquoi me priver?

— En effet, pourquoi te priver?

— Les bienfaits de la sobriété sont exagérés, Paul, ajoute-t-il avec un sourire en coin. J'étais bien plus heureux lorsque je buvais.

J'ai du mal à trouver cette remarque amusante. Dans mon souvenir, quand il avait bu, il frappait ma mère. Je réponds:

— Si tu le dis...

Il y a trois télévisions dans le restaurant, et elles retransmettent toutes un match des Séries mondiales, les Yankees contre les Marlins de Miami. On nous apporte nos bières, nous levons nos verres, trinquons et buvons quelques gorgées. Mon père fait claquer ses lèvres et dit:

— Dieu que ça m'a manqué!

Nous commandons des sandwiches et regardons le match. Très vite, il exprime son mépris.

— Vise-moi ces types, grogne-t-il. Mais qu'est-ce qu'ils sont gros! Surtout les lanceurs.

Et il ajoute, une minute plus tard.

— Je te jure, vise-moi ce mec, il gagne des millions, il joue pour le titre mondial et il n'est pas foutu de courir après une chandelle!

Je suis à nouveau frappé par l'absurdité de la situation. Je regarde un match de baseball avec mon père en buvant une bière — pour la première fois de ma vie ! Et seulement parce qu'il est en train de mourir.

On nous apporte notre commande, et nous ne prêtons plus attention au match, ses quelques remarques méprisantes sur «les joueurs d'aujourd'hui» m'ont fait comprendre que Warren n'est plus vraiment un fan.

— Alors, dis-moi, tu as l'intention d'écrire une autre histoire ? Tu vas raconter notre petit voyage ? me demande-t-il en attaquant son club sandwich à la dinde.

— Non, je ne le pense pas.

— Moi, je trouve que ça serait une bonne idée.

En fait, tu devrais prendre ta première histoire, ajouter un chapitre et publier le tout. Et tu devrais le faire de suite, avant que je ne casse ma pipe. Au fond, ça m'est égal. Je veux bien que le monde entier sache la vérité. Vas-y, publie-la, ton histoire !

— Ce n'est pas ce qui était convenu, Warren.

— Mais on s'en tape de ce qui était convenu ! Je veux que les gens sachent que je suis allé voir Joe Castle et que je lui ai présenté mes excuses après tout ce temps. Ça ne m'est pas arrivé souvent, dans ma vie.

— Ça, c'est bien vrai.

— Publie ton histoire. Je m'en moque.

— Je ne peux pas sans l'accord des Castle. Tu sais combien ils protègent Joe.

— Eh bien tu n'as qu'à leur demander. Tu écris ton histoire et tu leur fais lire. Je te parie qu'ils seront d'accord.

— On en reparle, ok ?

Mais l'idée est tentante. Nous prenons deux autres bières et finissons nos sandwiches. En passant

190

à côté de nous, un type lâche : « Les Mets sont nuls », puis s'éloigne. Nous nous rendons compte que c'est à cause de la casquette, et rions de bon cœur.

L'attente se prolonge, et lorsqu'on annonce le vol de Warren, il est presque neuf heures du soir. Sa porte d'embarquement n'est pas loin de la mienne, et nous marchons ensemble lentement le long du couloir. Quand nous atteignons la salle, les passagers ont déjà commencé à entrer dans l'avion.

Il prend sa respiration et me regarde droit dans les yeux.

— Écoute, je voulais te remercier pour ce que tu as fait. Ça signifie beaucoup pour moi, et encore plus pour Joe. Ça m'a soulagé d'un sacré poids.

— C'est le pouvoir réparateur du pardon.

— Le puits de sagesse a parlé.

— On ne se refait pas.

— Mais je le pense vraiment, Paul, je suis sérieux. Tu es bien plus intelligent et sage que moi, parce que ta vie n'est pas remplie de remords, comme la mienne. Je vais mourir en laissant derrière moi une longue liste de choses que j'aurais voulu faire autrement. Ce n'est pas la meilleure façon de partir.

— Tu n'y peux plus rien.

Nous échangeons une poignée de main.

— Tu as raison. Mais ça n'empêche pas d'avoir des regrets.

Je suis à court de mots. Je ne peux pas dire « T'inquiète, Warren, tout est pardonné », ça sonnerait creux, faux. Nous échangeons une dernière poignée de main, et je sens qu'il voudrait me serrer dans ses bras. Je ne peux pas.

Il fait demi-tour et s'éloigne sans regarder en arrière.

Chapitre 23

Agnès m'appelle tous les deux jours pour me donner des nouvelles de Warren. Son état s'aggrave : il a cessé de s'alimenter, son corps est en train de lâcher. On l'hospitalise, il rentre à la maison, on l'a placé dans un centre de soins palliatifs. Warren a repris ses vieilles habitudes : il n'appelle pas, il ne veut pas me parler. Sara me demande à plusieurs reprises si je compte lui rendre visite une dernière fois.

— Non. J'ai fait ce que j'avais à faire.

De temps à autre, j'appelle Jill. La famille Tracey dans toute sa splendeur : Warren parle à Agnès, laquelle m'appelle et, moi, j'appelle ma sœur. Jill refuse de lui parler, elle refuse de le voir, et elle n'assistera pas à l'enterrement.

Mais Warren ne se décide pas à partir et les appels d'Agnès deviennent monotones. Je regarde le calendrier. Thanksgiving approche : j'espère que Warren ne bouleversera pas nos projets.

Mes craintes sont infondées. Il meurt le 10 novembre, à l'âge de soixante-cinq ans, seul, dans un centre de soins palliatifs. Agnès m'annonce que le service funéraire doit avoir lieu le vendredi de la semaine suivante. S'ensuit une vive et longue discussion avec Sara, qui insiste pour venir avec moi. Je m'y oppose. Bizarrement, elle veut rendre hommage à un homme qu'elle a à peine connu, qui n'a pas assisté à notre mariage et n'a même pas envoyé une carte postale lors de la naissance de nos filles. La famille ne se réunira pas autour de lui, nous ne partagerons pas un repas après l'enterrement.

Sara n'a aucune raison de m'accompagner. Sans compter que je refuse de dépenser cinq cents dollars pour un billet d'avion supplémentaire. Elle finit par céder.

On meurt beaucoup en Floride, surtout des personnes âgées sans véritables attaches locales. L'industrie funéraire y est à la fois minimaliste et efficace. Les cérémonies sont modestes, rapides, voire impersonnelles.

Warren a voulu être incinéré, et ses vœux seront respectés. Le service se déroule dans la chapelle sans fenêtres d'un funérarium non loin de chez lui. Avec un timing parfait, j'y retrouve Agnès un quart d'heure avant la cérémonie dans le salon destiné aux familles. Tu parles d'une famille. Il y a là Agnès et sa fille Lydia, que je n'ai jamais rencontrée. Je me dis qu'un homme qui s'est marié cinq fois aurait pu susciter un peu plus d'intérêt.

Nous restons là à bavasser et le temps semble se figer. Agnès me demande à nouveau si je souhaite prononcer quelques paroles. Une nouvelle fois, je décline poliment en prétextant la crainte de ne pas être capable de maîtriser mes émotions, d'être ridicule. La vérité est que ce serait bidon : toutes les anecdotes touchantes que je pourrais raconter seraient des inventions.

Lydia, qui me regarde en coin, ne tourne pas longtemps autour du pot.

— Vous savez, Paul, on a ouvert son testament.

Je lève les mains au ciel et dis :

— Ça m'est complètement égal. Je ne veux rien. Je n'accepterai rien. Si mon nom y est mentionné, je refuse tout.

— Il vous a laissé dix mille dollars chacun, à Jill et à vous, dit Agnès.

Ce partage du butin avant l'enterrement n'est pas du meilleur goût, mais je ne dis rien.

— Je ne sais pas ce que fera Jill, dis-je, mais pour ma part je n'en veux pas. Il ne m'a pas donné un centime pendant toute ma scolarité, ni lorsque j'aurais pu en avoir besoin. Ce n'est pas aujourd'hui que je vais commencer à prendre son argent.

— Vous n'aurez qu'à régler ça avec les avocats, dit Lydia.

Quelque chose dans son ton de voix me laisse penser qu'elle a l'habitude des avocats.

— Excellente idée.

— Il a aussi légué 25 000 dollars à un terrain de baseball de Calico Rock, dans l'Arkansas, ajoute Agnès.

Je souris et dis :

— Ça, c'est une bonne idée.

Bien joué, Warren.

Je ne pose pas de questions sur son patrimoine — ce n'est pas le moment et d'ailleurs je m'en fiche. Je le découvrirais lorsqu'il s'agira de régler la succession.

Nous nous rendons dans la chapelle. Il y a là une vingtaine de personnes d'un certain âge qui chuchotent entre elles, l'ambiance semble assez animée. Les tenues sont plutôt informelles, dans le style californien, avec beaucoup de sandales et pas une seule veste ou cravate. Je n'ai pas envie de me présenter à ces gens que je ne reverrai jamais, je n'ai pas l'intention d'échanger des histoires sur le type formidable qu'était mon père. Il s'agit probablement de voisins, de partenaires de golf et d'amis d'Agnès. Je suppose qu'il n'y a pas un seul joueur de baseball ni le moindre coéquipier de Warren. En tout cas, certainement pas un membre de l'équipe des Mets de 1973.

La chapelle est sombre, avec des airs de donjon. Des haut-parleurs diffusent une musique solennelle, appropriée. Un homme en costume cravate nous demande de nous asseoir. Dieu merci, il n'y a pas de sièges réservés pour la famille, et je m'installe discrètement vers l'arrière. Agnès n'a pas encore versé la moindre larme, et je pense qu'elle ne sera pas la seule à garder les yeux secs pendant toute la cérémonie. Les amis et la famille attendent, sagement assis, et s'imprègnent de l'atmosphère.

Je me demande ce que je fais là. Warren est parti, et s'il pouvait nous voir, il se ficherait bien de savoir que je suis venu ou non. Toute cette idée d'un dernier hommage est ridicule. Il est là-bas, dans une petite urne bleue près du pupitre.

La situation me rappelle une des phrases pour lesquelles Yogi Berra était célèbre : « Il faut toujours aller aux enterrements des gens, sinon ils ne viendront pas au vôtre. »

Un type vêtu d'une toge noire apparaît, sans doute un de ces prêtres que l'on engage par téléphone, parce que Warren Tracey n'a jamais mis les pieds dans une église. Mais peut-être Agnès fait-elle partie d'une congrégation ? Le prêtre échange quelques mots avec elle, puis monte sur la petite estrade, ouvre ses bras en grand comme Charlton Heston devant la mer Rouge et dit : « Soyez les bienvenus. »

La porte s'ouvre et du coin de l'œil, je vois trois hommes entrer dans la chapelle : Red Castle, puis Joe avec sa canne et sa démarche saccadée, et enfin Charlie. Ils s'installent dans le fond, sans faire un bruit. Ils portent tous trois des blazers bleus et des chemises blanches, ils sont les seuls dans l'assemblée à être vêtus d'une tenue appropriée.

Je suis d'abord estomaqué, mais ça ne dure pas. Quelle idée géniale, quelle classe !

Sans réfléchir, je me lève et me dirige vers eux. Je m'installe juste devant et je glisse à Red :

— Merci d'être venus.

Tous les trois acquiescent de la tête. Je demande :

— Cela dit, qu'est-ce que vous fichez là ?

Charlie montre Joe du doigt et dit :

— Il voulait voir du pays.

« Soyez les bienvenus ! » dit le prêtre un peu plus fort, à notre intention. On dirait qu'il va nous gronder. Je reste assis près des frères Castle, et nous endurons un pénible rituel sans la moindre signification qui s'éternise une trentaine de minutes. Le point d'orgue en est l'éloge funèbre délivré par un certain Marvin Machin, qui — bien évidemment — appartenait au même club de golf que Warren. Marv a une histoire vraiment poilante à nous raconter : un jour où ils jouaient au golf, la balle de Warren est tombée dans l'eau. Ils se sont approchés de trop près avec la voiturette et celle-ci s'est renversée. Marv a failli se noyer, alors que Warren s'en est sorti sans une éclaboussure.

Nous rions pour faire comme tout le monde. Marvin n'est pas un grand orateur, j'ai comme l'impression qu'il a perdu à la courte paille. Je vois bien ces vieux types en train de jouer aux cartes dans le club-house tout en se chamaillant pour savoir qui fera l'éloge de qui : « C'est d'accord, alors : Marv, tu parleras à l'enterrement de Warren, moi au tien, et Fred au mien. »

Le prêtre remplit les blancs assez adroitement. Il lit des passages de la Bible, surtout des Psaumes. Il insiste sur l'amour de Dieu, sa bonté, son pardon, le salut et il est clair que Agnès est tout sauf catholique, juive ou musulmane. Il ne mentionne même pas en passant le fait que Warren a été un joueur de baseball professionnel de haut niveau. Pour finir, il nous informe que l'urne de Warren sera placée dans le columbarium, dans une niche du mur D, troisième pavillon, mais que la cérémonie sera réservée aux membres de la famille.

Je ne compte pas y assister. Je me fiche du trou dans le mur où les cendres de Warren reposeront pour l'éternité. Agnès n'a qu'à s'en occuper. C'est la seule qui pourra passer une fois par mois durant les trois mois suivants pour toucher son nom sur la pierre et essayer de ressentir quelque émotion. Moi, je ne remettrai jamais les pieds ici.

En revanche, je veux parler à Joe.

Chapitre 24

La salle de prières est vide et nous nous y installons pour quelques minutes. Si la chapelle a des airs de donjon, là, on est carrément dans un cachot. Nous disposons quatre chaises en cercle.

— Je suis vraiment touché que vous ayez fait le déplacement, les gars.

— Joe n'est pas venu en Floride depuis les entraînements de printemps de 1973, dit Red. Il en avait marre de Calico Rock, alors nous voilà.

Tous trois ont joué dans les ligues mineures, et comme la plupart des candidats aux ligues majeures, ils participaient chaque année aux entraînements de printemps. Avec tous ces voyages en bus, ils ont dû voir bien plus de pays que moi. Je ne peux m'empêcher de répéter :

Merci d'être venus, vraiment.

— C'est à nous de te remercier, dit Charlie. C'était vraiment important pour Joe de rencontrer ton père, bien plus que tu ne l'imagines.

Joe sourit, hoche la tête, heureux de laisser ses frères parler à sa place

— C'était vraiment, vraiment important.

Joe dit :

— Désolé… pour… ton… père…

— Merci, Joe.

Il porte toujours des lunettes de soleil pour cacher son œil abîmé, mais par-dessus la monture on aperçoit un bout de cicatrice, un renfoncement. À l'époque, on racontait qu'il avait cessé de respirer trois fois dans l'ambulance qui le conduisait à l'hôpital. Red dit :

— Joe voulait te donner quelque chose.

De sa main valide, Joe tire une enveloppe d'une des poches de son blazer. Je reconnais aussitôt l'enveloppe que j'ai accrochée au mur de l'hôpital, en septembre 1973. Joe me la tend avec un large sourire et dit :

— Voilà… je… voulais… te… la… rendre.

J'ouvre lentement l'enveloppe et en extrais la lettre. Je déchiffre attentivement les mots tracés par un gamin de onze ans sous l'emprise de l'émotion : « Cher Joe, je m'appelle Paul Tracey, et je suis le fils de Warren. Je suis vraiment désolé de ce que mon père a fait. » Je continue de lire, et je suis à nouveau bouleversé comme je l'étais à l'époque. Pendant six semaines, Joe Castle avait été le centre de mon monde. Je pensais à lui sans cesse, je lisais tout ce qu'on écrivait à son sujet. Je suivais le moindre de ses matches, je connaissais toutes ses statistiques. J'avais même rêvé de jouer dans son équipe — il n'avait que dix ans de plus que moi. Si je devenais pro à vingt ans, il serait encore dans la force de l'âge. On pourrait être coéquipiers.

Et puis il avait été blessé. Et il avait disparu. Il était entré dans la légende.

Je finis de lire la lettre, j'ai les larmes aux yeux.

— Merci, Joe, dis-je en faisant de mon mieux pour ne pas craquer.

— Les Cubs ont bien fait les choses, ajoute Red. Ils ont rassemblé tout ce qui était adressé à Joe, dont plusieurs cartons de lettres et de cadeaux restés à l'hôpital. Quelques mois après le retour de Joe à la maison, ils ont tout envoyé. On a tout entreposé dans le grenier de la maison de maman.

— Ce n'est… pas… n'importe quelle… lettre, dit Joe.

— Merci, Joe.

Et les larmes me montent de nouveau aux yeux.

Après un long silence, Red change de sujet :

— M. Rook nous a dit que tu avais commencé à écrire un article à propos de ton père et de Joe. C'est vrai ?

— En quelque sorte. J'en ai écrit un bon bout, mais ne vous inquiétez pas, je ne vais pas le publier.

— Pourquoi pas ? dit Charlie. Pourquoi ne pas raconter la visite de ton père à Calico Rock, la rencontre avec Joe, pourquoi ne pas dire ce qui s'est vraiment passé ? Tu pourrais même utiliser une des photos avec les casquettes.

— J'aimerais… beaucoup… lire… ça…, ajoute Joe en souriant.

— Ça serait bien si tu nous laissais y jeter d'abord un œil, poursuit Charlie, tu vois, juste par acquit de conscience, mais on a bien réfléchi et on s'est dit que ça intéresserait tous les fans de baseball. Tu sais que Joe reçoit encore des lettres aujourd'hui ?

Je ne sais pas bien quoi répondre. Warren voulait que je termine l'histoire et que je la publie. Et maintenant Joe insiste lui aussi. Je réponds :

— Je vais y penser, je vous tiendrai au courant.

— Ce sera un livre ? demande Red

— Je ne crois pas. Plutôt un long article pour un magazine.

— Bon, en tout cas on voulait que tu saches qu'on aime vraiment bien l'idée.

— D'accord, je vais étudier la question.

— M. Rook aussi est d'accord, dit Charlie.

J'ai évoqué ce projet avec Clarence à deux reprises. Je pense qu'il aurait envie de l'écrire lui-même mais il n'a pas osé me le dire.

Nous discutons encore pendant un moment. Ils me posent tout un tas de questions sur ma famille, ma mère, ma sœur, notre vie après le départ de Warren. Lorsque je dis que j'ai fait mes études à l'université d'Oklahoma, ils se moquent de moi. Tous les trois sont fans des Razorbacks, les éternels rivaux de l'équipe de l'université.

D'autres personnes semblent vouloir utiliser la salle de prières et nous leur laissons la place. Agnès, Marv, le prêtre et tous les autres ont disparu. Nous sortons du funérarium. Les frères sont en route vers Key West, pour deux jours de pêche au gros, un vieux rêve de Joe.

Nous nous disons au revoir sur le parking. Je les regarde monter dans un pick-up flambant neuf orné d'autocollants des Razorbacks. Je les salue de la main au moment où ils s'éloignent.

Deux heures plus tard, je suis à bord de l'avion qui me ramène à la maison. Je lis et relis ma lettre et ressens à chaque fois la souffrance du petit garçon blessé que j'étais. Je range la lettre, j'ouvre mon ordinateur portable et je commence à raconter l'histoire de Calico Joe.

Une note de l'auteur

Il est toujours délicat de mêler dans un roman des gens, des lieux et des événements qui se sont réellement produits. Ce livre parle des Cubs et des Mets pendant la saison de 1973, mais je supplie tous les fans de baseball de ne pas le lire en y cherchant une quelconque précision historique. J'ai totalement réinventé les programmes, les rotations, les scores, l'ordre des frappeurs et j'ai même créé des joueurs imaginaires que j'ai mêlés à ceux ayant réellement vécu. Ceci est un roman, et toute erreur doit donc être nécessairement interprétée comme étant un acte de fiction.

J'aimerais en profiter pour remercier quelques personnes. Don Kessinger est un vieux copain. Il a lu la première version de *Calico Joe*, et m'a signalé certains paragraphes qui demandaient à être retravaillés. Don a joué arrêt-court pour les Cubs de 1964 à 1975 et c'est un des grands conteurs du monde du baseball. Par la suite, il a été manager des White Sox, poste auquel lui a succédé Tony LaRussa en 1979, qui, lui, avait joué pour la dernière fois avec les Cubs en 1973 (juste avant l'arrivée de Joe Castle) et porté (brièvement) le numéro 15, celui de Joe. L'un des éternels sujets de discussion avec Tony après un repas, c'est le fameux « code » du baseball et, plus particulièrement, l'art et la manière de protéger ses coéquipiers, de punir l'équipe adverse et de « tirer à l'intérieur », à ses risques et périls.

Merci aussi à David Gernert, Alan Swanson, Talmage Boston, Michael Harvey, Bill MacIlwaine, Gail Robinson et Erik Allen.

John Grisham
1er décembre 2011

MARQUIS

Québec, Canada

Imprimé au Canada